ハーバード実践講座

内面から勝つ
交渉術

WINNING FROM WITHIN

A Breakthrough Method for Leading, Living, and Lasting Change

エリカ・アリエル・フォックス
Erica Ariel Fox
谷町真珠 訳

講談社

はじめに

私は1995年にハーバード大学ロースクール（法科大学院）を修了し、翌年から同大学院で教壇に立つようになりました。同大学院の傘下に、交渉術の研究と教育を専門とした「ハーバード交渉学プログラム（プログラム・オン・ネゴシエーション、通称PON）」があります。同プログラムを率いたウィリアム・ユーリーと故ロジャー・フィッシャーは、私の師匠にあたる存在です。1981年に出版された2人の共著 *GETTING TO YES*（邦訳『ハーバード流交渉術　イエスを言わせる方法』）は、世界的なベストセラーとなりました。

ユーリーやフィッシャーの後ろだてのもと、世界中の大企業の経営者たちに交渉学・交渉術を教える機会を与えられてきた私は、大企業だけでなく、政府系機関や非政府機関（NGO）などの指導者から指導を頼まれることもありました。こうした社会でリーダー役を務めるような人々は、ハーバード流交渉術のセミナーに参加するだけでなく、さまざまなビジネス書に目を通して勉強しています。より有効なビジネススキルを身につけるために、日々精進を続けているのです。しかし、私はよくこうした人たちから「学んだことが肝心なときにかぎって機能しない」という不満を耳にするようになりました。「こうすべき」「こう言うべき」と頭でわかっていても、人間は違う行動をとってしまうことがあります。私は、こうして「すべき行動」と「実際にとってしまう行動」のギャップに関心を持ち、どうしたらこのギャップを縮めることができるのかを追究することにしたのです。

２０００年から２００１年にかけては、私にとって個人的にとてもつらい時期でした。２０００年11月12日、私は最愛の母を失いました。そして、２００１年9月11日、米国同時多発テロが発生します。灰まみれで逃げ惑うニューヨーク市民の映像を見ながら、私は交渉術の専門家として、その無力さに打ちのめされていました。「ハーバード流交渉術を使えば、暴力に訴えることなく、交渉で問題を解決して『ウィン・ウィン』の関係を築ける」という理想は、もろくも崩れ去ったのです。そして、同時多発テロから2ヵ月後、今度は父が他界してしまいました。

1年のあいだに両親を失うという悲しみのなか、私は1年間、教壇を離れる決断をしました。家族のなかで唯一弁護士資格を持つ存在として、両親亡き後の事務処理を担当することにしたのです。皮肉なことに、交渉術の学問の場を離れたこの1年間ほど、実社会での〝交渉の嵐〟に巻き込まれたことはありませんでした。父親が亡くなる前から医師、専門看護師、ラビ（ユダヤ教指導者）、親戚らとの交渉が始まり、亡くなった後には弁護士、保険業者、税理士、不動産業者などとの交渉が待っていたのです。

両親宅の清掃を終えて、粗大ごみの撤去を業者に頼んだところ、代金として数十万ドル要求されたこともあります。不用品を寄付しようとしたら、さまざまな団体が両親の家に押し寄せてきたこともあります。関心を持ってもらえたのはありがたいのですが、団体ごとに要求が違うのには辟易《へきえき》しました。ある団体は「夏服はいらない」と言い、ほかの団体は「まずサイズ、色、季節ごとに仕分けしてください」と命令して帰っていくというありさまでした。

こうして交渉の嵐に見舞われている私を見て、友人がこう問いかけてきたのです。

「あなたは交渉学の世界的な専門家じゃない？　その知識は役立っているの？」

答えは、イエスであり、ノーでもあります。

もちろん、その分野の専門家として、私は交渉術のテクニックやスキルを使って、状況をうまく乗り切ることが多かったと思います。しかし、同時に、こうしたテクニックやスキルだけでは不十分だと感じる場面があったのも確かです。とくに、状況が困難なときほど、より迅速で効果的な〝何か〟が必要だとわかったのです。

その〝何か〟は、私は人間の「内面」にあると考えています。この仮説を追究するために私は2002年、PONのなかに「ハーバード交渉学内面戦略所（ハーバード・ネゴシエーション・インサイト・イニシアティブ＝HNII）」を設立しました。心理学者から詩人、宗教学者までの多様な人材を集めて、人間の「行動」と「反応」の統合を模索する研究所を開設したのです。そして、最新科学から古代哲学までのさまざまな英知を交渉術に取り入れた研究成果をまとめたのが、本書なのです。

本書が推奨するのは、あなたの内面のあらゆる部分とつながって、それぞれをうまく活用しようという考え方です。自己統御力を高めれば、あなたのパフォーマンスが向上するのです。本を読み進めていただければわかると思いますが、「内面から勝つ方法」は付け焼き刃の性格改造法ではありません。習得には時間がかかります。しかし、身につけるのが難しい代わりに、いちど獲得すれば、あなたが根本から、本格的に変わることをお約束します。

内面から勝つ交渉術　目次

ハーバード実践講座
内面から勝つ交渉術

1部

小手先のスキルはいらない
根本から自分を変化させる

1章 自分の「パフォーマンス・ギャップ」を知ろう

マークはハイテク業界で働くエンジニアです。チームを率いるマネジャーを務めていますが、中間管理職にありがちな困難に直面しています。部下と上司の板挟みになっているのです。部長のステファンとマークのあいだでは、言い争いが絶えません。2人のやりとりの一例を見ていきましょう。

ステファン なんで新しい決断について、わざわざ部下に伝えたりするんだ?

マーク 伝える前に上司である君に相談しなかったのは悪かったと思うよ。でも、部下にもきちんと決断を伝える必要があると思うんだ。さもないと、彼らも正確な判断ができないよ。

ステファン ばかばかしい。余計なことを言ったせいで、上層部への信頼が揺らいでしまった

じゃないか！　無駄に我々の首を絞めるようなことを言わないでくれないか。

マーク　上層部で何かが起きていることぐらい、現場にいたってすぐにわかる。私が正確な情報を伝えなかったら、部下は私の指示を聞かなくなるよ。

ステファン　部下の信用を得たようでよかったな。だが、私からの信頼は失ったと思え。もう二度と君にアドバイスを求めることはないよ。

この言い争いは、オフィスの廊下で起きました。マークは、胃にキリキリと痛みを感じていました。上司にけんかを売ることは得策でないとわかっています。それでも、ステファンに反論したくてたまりません。心のなかで、〝冷静なマーク〟と〝怒りのマーク〟の2人の葛藤が続きます。

「落ち着くんだ。彼は上司だ。このまま言い争いを続けても、いいことは何もないだろ」

「でも、あんなひどい仕打ちはあるか。いくら上司でも許せないよ」

そして、とうとう〝怒りのマーク〟が勝利を収めます。

「そんなに俺を信用できないなら、なんでいつも俺にアドバイスを求めにくるんだよ。俺から頼んだ覚えはないぞ。あんたがアドバイスを求めにこないと聞いて、かえって清々《せいせい》したよ。もう二度と俺の部屋には来ないでくれ」

マークはステファンに対して、こう捨て台詞を吐きました。オフィス内の自分の部屋に戻ってきたマークは、はじめこそ思ったままを吐き出してすっきりしたと感じていました。しかし、徐々に後悔の念に襲われるようになります。冷静になるまで、黙っているべきだったと感じるようになったのです。上司に対して、「二度と部屋には来ないでくれ」と宣告するのは、どう考えても賢明な選択とは言えません。しかし、激しい言い争いのなかで、マークはどうしても冷静ではいられなくなってしまったのです。

感情を爆発させて、思わず本心を言ってしまったのがマークのケースだとすると、対極にあるのが、私の生徒だったラフィークです。ラフィークの場合は、感情を爆発させることもなかった代わりに、言うべきことも言えなかったケースです。

ラフィークは当初、ハーバード大学ロースクールで3年間学び、卒業したら家族の待つパキスタンに帰国する予定でした。しかし、大学院で学ぶあいだに、米国人の女子学生と恋に落ち、結婚して米国に住むことを希望するようになりました。これはラフィークにとってつらい状況でした。パキスタンに住む母親に、帰国する意志がないことを伝えなくてはいけなかったからです。

卒業が近づき、母親からの電話で「いつ戻ってくるの？」と頻繁に聞かれるようになりました。何度も自分の意志を伝えようとしましたが、実際に「航空券は取ったの？」と聞かれると、ラフィークは無言でやり過ごすことしかできませんでした。いつかは自分の決断を伝えなくてはいけないとわかっていても、「お母さんを傷つけてしまう」と思うと躊躇《ちゅうちょ》してしまい、言うべきことを先延ばしにする状況が続きました。

私と同僚は長年、ハーバード大学で交渉術の実践講座を開いてきました。企業や社会でリーダー的役割を果たす人たち向けの特別講座です。参加者は、実際に直面している課題を授業に持ち込み、指導係といっしょに解決のシナリオを作っていきます。そして、実社会でもそのシナリオ通りに行動できるように、クラスのなかで練習するのです。

私は、この講座内容を「よくできている」と思い込んでいました。ただ、ある日、この講座に最高裁判所の判事が参加したことをきっかけに、私の思い込みは打ち砕かれてしまいます。

この75歳の老人は、35年間最高裁の判事を務めた人物らしい貫禄を漂わせていました。「リーダー的役割を果たす人」といっても、ここまで社会的地位の高い人が参加するのは、私の想定をはるかに超えていました。「最高裁の判事が実社会で交渉がうまくいかないと悩む相手は誰かしら？　首相？　それとも有力議員？」と緊張しながら考えを巡らせていました。しかし、実際の悩みは、まったく違ったのです。

「この50年間、毎日、家内が私のネクタイを選んでいる。でも、それが嫌で仕方ないんだ。ネクタイぐらい自分で選べるのに……」

私は、びっくりしてしまいました。判事が夜も眠れないぐらい悩んでいる理由が、奥さんに言いたいことが言えないということだったからです。

「奥さんに『ネクタイを選ぶのをやめてほしい』と伝えたことはあるのですか？」と、私は聞きました。すると、判事は、「それが問題なんだ。頭のなかでは、何度もそのセリフを練習しているのに、実際の場面になると家内に言うことができないんだ」と話すのです。

普通、この講座の最後には、言いたいことをセリフのように何度も繰り返して、実社会でも言えるようにするという練習をします。ですが、どう考えても、判事に、「どうか私のネクタイを選ばないでください」というフレーズを繰り返し練習させることが、問題の解決になるとは思えません。コミュニケーション・スキルが足りない場合には、想定シナリオを立てて練習するという方法は有効ですが、判事の抱える問題はコミュニケーション・スキルの欠如ではありません。毎日、判決を言い渡すことを仕事としていた人物です。通常の場面では、じゅうぶんに意志を伝える能力を持っています。

つまり、判事の場合には「言う」という行動を練習させても意味がありません。克服すべきは、言うという行動を止めてしまう「内面の障害」のほうだからです。こうやって、私は行動練習が問題の根本的な解決にはならないことに気がついたのです。

こうすべきとわかっていても、違う行動をとってしまう。こうした経験は、マークやラフィーク、判事だけでなく、誰にでもあります。ここでは「こう伝えるべき」「こう行動すべき」という理想の行動パターンを「最善の反応」、一方でついしてしまう逆の行動のことを「通常の反応」と呼ぶことにします（図1参照）。この「最善の反応」と「通常の反応」の差が、「パフォーマンス・ギャップ」と呼ばれるものです。

図1

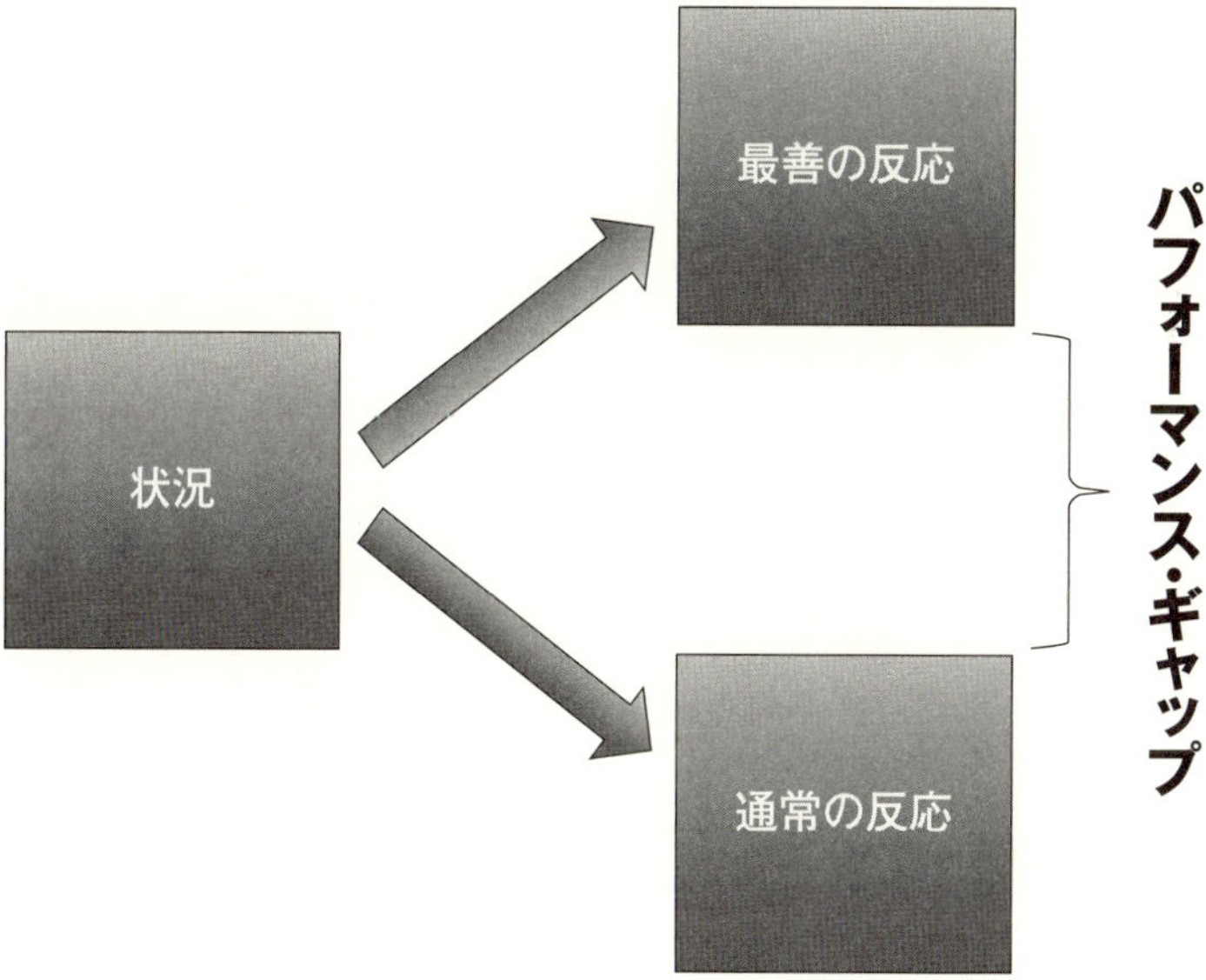

あなたにも、このような経験はありませんか？

- 恋人の話を聞こうと決めたばかりなのに、怒鳴り返してしまった。
- もっと同僚と協力しようと決意したのに、自分の意見を押し通してしまった。
- 今度こそ断ろうと思っていたのに、つい「はい」と言ってしまった。
- また、後悔するようなことを口走ってしまった。
- いつも会議で言いたいことを言えずに、無言でやり過ごしてしまう。

学歴や地位、頭の良さなどに関係なく、誰でもこの「パフォーマンス・ギャップの罠《わな》」に陥る可能性があります。どうやったら、このパフォーマンス・ギャップの罠に、はまらずに済むようになるのでしょうか。通勤の車のなかで、言いたいセリフを自主練習するのもいいかもしれません。しかし、こうした想定練習が役に立たないということは、最高裁判事の例で証明済みです。表面的に身につけたスキルは、なかなか実際の行動に結びつかないからです。あなたの内面にある何かが変わらないと、新しいスキルは生かせません。

あなたの内面にある何かと新しいスキルが結びついて、はじめて、あなたの「通常の反応」パターンは変化するのです。そこまでいけば、自然に「最善の反応」を導くことができるようになるはずです。一方、付け焼き刃のスキルはすぐに化けの皮がはがれてしまいます。教室内での練習ではうまくいっても、職場などのストレスの高い場所に戻れば、あっという間にパフォーマンス・ギャップの罠にはまってしまいます。

自分の内面に目を向ける

ここでは少し私の個人的な体験について触れたいと思います。この本で「小手先のスキルはいらない。根本から自分を変化させる」という課題に取り組もうと決めた矢先に、私自身が変化を体験することになったからです。

私の人生はとても安定したものでした。約20年間、ボストン市郊外の同じ場所に住み、同じ職場に勤務していました。その間、同じ中華料理店で頻繁に食事をして、同じ映画館に行って、同じユダヤ教の礼拝堂（シナゴーグ）に通っていたのです。姉とは車で15分という距離に住んでいました。

しかし、その安定は突然、終焉を迎えます。離婚歴のあるオランダ人男性と恋に落ち、結婚したからです。アムステルダムに引っ越した私は、家族も友人もいない異国の地で、英語をまったく話せない義理の息子を持つ「継母」という立場になっていました。変化と最も縁遠いはずの私が、身をもって変化の痛みを体感することになったのです。

オランダに引っ越すまで、私は自分を強い人間だと思っていました。だいたいの困難は、自分でいろいろ工夫して乗り切れる自信がありました。自分でなんでもできる「自己完結型」の人間だったのです。人に助けを乞うのは不得意でしたが、すぐに人に頼るタイプの人間が嫌いだったので、こうした自分の性格を欠点だと認識したことはありませんでした。逆に、独立心が強いことはいいことだと信じていたのです。4人きょうだいの末っ子として育った私にとっては、幼いころから「弱い＝愚か」という意識がとても強かったのです。

独立心旺盛な私にとって、米国から欧州への引っ越しは、とても〝屈辱的〟な経験をもたらしました。なぜなら、私はオランダで「自分では何もできない人間」になってしまったからです。理由は米国と欧州の〝違い〟です。一見、すべてが同じようですが、実際には違いがあって、私は自分で何もできなくなってしまったのです。誇張ではありません。ほんとうに、簡単なことすら自分でできなくなってしまいました。

たとえば、洗濯のような基本的な日常の活動すら難しかったのです。洗濯機の前に立ち、私は途方に暮れていました。まず、扉の開け方がわからないのです。その後、なんとか扉を開けて、洗濯物を入れたとしましょう。今度は、パネルの指示がわかりません。ボタンには「Witte was/ Bonte was」「Voor was」などと書かれています。オランダ語のわからない私には、チンプンカンプンです。

洗濯だけでなく、「コーヒーを入れる」「チキンを焼く」などの簡単なこともできません。リラックスして楽しみながらやっていた日常の活動が、困難の連続に変わってしまったのです。オランダでコーヒーマシンといえば、面倒な作業が必要なエスプレッソマシンのことで、米国のように「コーヒー豆を入れて水を注げば終わり」というわけにはいきません。オランダの住宅には、通常、オーブンはなく、料理はすべてガスコンロでこなすのです。「ローストチキン」を、オーブンなしでどうやって作れというのでしょうか？　私は泣き崩れてしまいました。

米国の友人に電話して、こうした現状を愚痴ると、彼女は私にこう言ったのです。

「オランダへの移住で、自分の弱さに気がつくことができてよかったじゃない」

私は自分の耳を疑いました。「私の弱さですって⁉」

当時は、友人のくせにひどいことを言うと思いましたが、まさにその通りでした。オランダの日常生活で試行錯誤を続けながら、私は自分のなかに「弱いエリカちゃん」が存在することを認めざるを得なくなりました。認めたくはないけれど、隠すことのできない自分の一面を発見したのです。皮肉なことに、私は自分のクライアントに対して、「自分のなかの知らない面を開拓しましょう」「知らない面を認識するとあなたはより強くなれます」とよくアドバイスしていました。今こそ、私自身がそのアドバイスを噛みしめなくてはいけません。

オランダでの「弱いエリカちゃん」体験が、私に自分を見直す機会をくれたように、皆さんもこの本を通じて自分の知らない内面を探してみませんか？

1　人間はいろいろな側面を持っているものです。

2 それなのに、その一部だけをとらえて、自己イメージを作り上げていませんか？

3 自己イメージが必ずしも間違っているというわけではありません。ほとんどの場合は正しいものです。

4 ただ、ある一面だけが強調されすぎると、自己イメージが歪《ゆが》んでしまいます。たとえば、私のケースでは、弱い部分もあるのに、強いという部分だけが強調されすぎていました。

5 こうして作られた歪んだ自己イメージにこだわりすぎると、自分の可能性を狭めてしまいます。パフォーマンス・ギャップの罠にもはまりやすくなります。

6 自己イメージに多様な側面を持たせたほうが、人間としてより〝まとまった〟感じになります。強さと弱さは、1人の人間のなかに両方あったほうがいいのです。弱さを認めたことで、私はオランダで「助けを求める」ということを学びました。おかげで、夫のオランダ人家族との関係も良好です。自分には弱さもあると認めたことで、困っているところを他人に見せられるようになりました。

7 人間は一晩で根本から変わることはできません。私もまだオランダでの生活に100パーセント満足はしていません。ボストンでの生活と違って、まだなじみの中華料理店も、シナゴークもありません。姉が近所にいないことはとても寂しいし、英語を話す人たちも恋しい。私自身もまだまだ模索の旅の途中にいるのです。

「外に見せている自己イメージだけでなく、自分のコア（中核）や内面に注意を払いましょう」とクラスで話すと、「内面ってどこ?」という質問を受けることがあります。私は、「肩から下の部分で〝感じている〟ことに気を配ってみて」と答えます。頭で考えていることを軽視しろとは言いませんが、たまにはそれ以外の場所に注意を向けてもいいと思うのです。

より正確な自己イメージを構築するために、どうやって内面を探っていったらいいのでしょうか。これが次の課題となります。

2章

カギは自分との交渉術
必要に応じてビッグ4を使い分けよう

ジオバーナは、大手保険会社のマネジャーです。いくつかのチームを束ね、地域の営業成績を向上させる役割を担っています。営業成績が抜群の彼女は、昇進が2回見送られたことに納得がいきません。上司に理由を聞くことにしました。

「正直に話すと、君が管轄するチームのメンバーが君の下では働きたくないと言っているんだ」

上司によると、営業目的などを話し合うときのジオバーナの強権的な姿勢や、ストレスが溜まったときに敵意むき出しになる様子などが、部下のあいだで問題視されているというのです。ジオバーナの攻撃的な姿勢を理由に、退社した社員もいると告げられました。

「管理スタイルを向上させないかぎり、君が昇進する可能性はない」。これが上司の答えでした。ジオバーナは心底驚き、私をコーチに指名したのです。

ジオバーナ自身は、部下や同僚とのコミュニケーションはうまくいっていると信じていました。実態を把握するために、私は彼女の同僚や部下に聴き取り調査を行うことにしました。

　残念ながら、上司がジオバーナに告げた内容と私の聴き取り調査の結果は、ほとんど同じようなものでした。ジオバーナの気性を問題視する部下は多く、「怖くて意見が言えない」と感じているようでした。回答してくれたうちの1人は「彼女の結果を導き出す力はすごいと思うよ。でも、そのやり方が〝いじめっ子〟みたいなんだ」と訴えました。

　かつてジオバーナの部下で、配置換えを希望した人にも話を聞きにいきました。その人はジオバーナの能力をとても高く評価していましたが、「彼女の下で働いているほうが、より多くのことを学べるのはわかっていた。でも、つねに彼女のやる気についていくのはたいへんだったんだ。たまに休憩がほしくても、怖くて口に出せなかった」と答えたのです。

　こうした聴き取り調査の結果をジオバーナに告げると、「どうしてみんなそんなひどいことを言うのかしら」と、たいそう驚いていました。そして、その理由をいろいろと考えはじめたのです。「みんな私の能力に嫉妬しているのかしら？」「女性が昇進するのが許せないのかもしれない」といった具合で、自分の管理スタイルへの反省は出てきません。

　パフォーマンス・ギャップから抜け出すためには、まずは自分がパフォーマンス・ギャップに陥っていることを認識しなくてはいけません。ジオバーナが、昇進しないのを同僚の嫉妬のせいと考えているうちは前進はありません。第一段階として、自分でも気づかない「別の側面」があることを受け入れる必要があります。

ただ、これは簡単なことではありません。なぜなら、ジオバーナは聴き取り調査の結果を「聞いて」はいるけれど、自己イメージと違いすぎて「信じられない」と感じているからです。信じるためには、まずは自己イメージを修正しなくてはいけません。

ジオバーナによると、自己イメージは「しっかりもので、勤勉。自分の成績だけでなく、部下の指導にも熱心。もうひと頑張りが必要なときには、部下の背中を押してあげる手間もいとわない。休暇を申し出た部下に対しては、余計な詮索をしないで快く休みをあげている」となります。この認識が正しければ、なぜ部下から〝いじめっ子〟と呼ばれたりするのでしょうか。事実は事実として、受け入れなくてはいけません。

つらくても、ジオバーナは自分のなかに部下からいじめっ子と見られている要素があることを認めなくてはいけません。認めてはじめて反省ができるのです。そして、こうした一面を「強み」に変えることもできるようになります。その意味は、これから詳しく説明します。

ジオバーナのなかには、「面倒見のいい上司」と「高圧的な上司」という2人のジオバーナが存在すると考えましょう。この2人のジオバーナを必要に応じて、使い分ければいいのです。高圧的な要素は完全に排除して、「面倒見のいい上司」だけにしたほうがいいと考える人もいるかもしれません。ただ、私はその意見には反対です。

理由は2つあります。第一に、ジオバーナが内面から湧き出る高圧的な欲求を完全に排除することは不可能と考えるからです。第二に、この高圧的な欲求は、建設的に使うことも可能だからです。今は「高圧的な上司＝ジオバーナ」がコントロールされずに暴走していますが、「面倒見のいい上司＝ジオバーナ」といっしょに職場で活躍できたらどうなるでしょうか。目標に向かってグイグイと引率する一方で、部下のサポートも忘れないバランスのとれた上司に変身できるとは思いませんか。

ジオバーナは、自分のなかに2人の自分がいることを認識できました。今度は、その2人をどう使い分けるかを習得する必要があります。うまく使い分けられるようになれば、社会のなかでパフォーマンス・ギャップを起こさずに生活できるようになります。

自分と交渉する

自分の内面に存在する複数の自分をうまくコントロールするためには、まずは自分自身と「交渉する」スキルを身につけなくてはいけません。

自分と交渉する？

皆さんの頭のなかには今、さまざまな疑問が浮かんでいることと思います。「いつも自分自身に話しかけていたら、頭がおかしくならないか？」「自分に対して、反対意見を述べることができるのか？」「自分対自分の討論に勝ち負けはあるのか？」など。

ジオバーナの例に戻りましょう。ジオバーナの目標は、昇進です。その目標をかなえるためには、彼女のなかに存在する「高圧的な上司」がもう1人の「面倒見のいい上司」と交渉をして、部下や同僚に好かれる新しいジオバーナを生み出さなくてはいけません。合意案は、「『高圧的な上司』が一時的に黙る」というような中途半端なものではダメです。長期的にパフォーマンス・ギャップを避けるためには、「高圧的な上司」と「面倒見のいい上司」の双方が平等に賛成できる合意案を導き出さなくてはいけません。

私は実践講座を、参加者に「自分と交渉する場面」を想定してもらうところから始めます。第一段階では、「アイスクリームを食べるべきか、ダイエットを続けるべきか」とか、「高校時代に大嫌いだった同級生からフェイスブックに友達申請が届いた。了承すべきか、拒否すべきか」とか、日常のありふれた悩みが例に挙がります。

しかし、徐々に難しい課題になります。

- すでに仕事が山積みなのに、新たな課題を出された。上司に正直に「無理です」と言うべきか、否か？
- 大切な顧客に倫理に反するようなサービスを要求された。実行すべきか、断るべきか？
- 別居や離婚、退職や留学などの重大決心をした。家族に今日伝えるべきか、先延ばしにするべきか？
- 大親友にお金を貸してほしいと頼まれた。貸すべきか、断るべきか？

こうした悩みを抱えたときに、自分のなかで複数の意見がぶつかり合う経験をしたことのある人は多いと思います。まさに、自分の内部でテレビの討論番組のような激しい議論が続くのです。

議論は1日で終わることもあれば、何ヵ月も続くこともあります。眠れぬ夜を過ごすこともあります。こうした脳内の討論に悩まされているあいだは、正しい判断を下すことができません。仕事に集中するのも難しくなります。

苦しい経験ではありますが、こうした体験を通じてあなたはいくつかのことを学ぶことができます。

1　自分のなかに、意見の異なる複数の論客が存在することを学ぶ。

2　それぞれの論客の意見に耳を傾け、感謝することを学ぶ。

3　反対し合う論客たちと交渉し、意見をまとめて合意を導き出すことを学ぶ。

4　意見の異なる論客たちのあいだで、自分の立ち位置を学ぶ。

5　繰り返し経験することで、反目し合う論客に左右されて自分を見失うということが減る。自分の立ち位置を維持することを学ぶ。

自分のなかに複数の〝自分〟を認める

フロイトに始まり、自分のなかに存在する別人格については、心理学の分野で長年にわたって議論されてきました。こうした仮説は、最近では科学を通じて、正しかったことが証明されています。脳科学によると、1人の人間の人格というものは、脳内の複数の部位が相互に交流することで形成される複雑なものだといいます。ある科学ライターは、「脳の構造は学べば学ぶほど、その構造がソロ演奏ではなく、オーケストラのような仕組みになっていることがわかる」と表現しています。

ここまで書いても、まだ自分のなかに隠れた人格が存在することが信じられませんか？

「自分らしくない行動をしてしまった」――そう後悔した経験はありませんか？　ありますよね。あなたのなかにも、あなたに存在を認められていない人格が存在するのです。

「内部に複数の〝自分〟がいる」――そう認めることは、ちょっと怖い感じがするかもしれません。でも、恐れずに認めてほしいのです。今まで自分で存在を認めていなかった性格まで含めることで、あなたの人格はより深みのあるものになります。今まで認められていなかった特徴は、今の自分に足りない部分でもあります。今後、自分の強みとして生かせる可能性が高いということです。

言い方を換えて、もういちど説明しましょう。自分のなかに存在する複数の〝自分〟は、それぞれに違う役割を果たしています。違う長所を持っているのです。こうした異なった〝自分〟を総動員していないから、あなたは繰り返しパフォーマンス・ギャップの罠にはまるのです。

はじめは、今まで使っていなかった強みを生かす作業は難しく感じられるかもしれません。でも、すぐに慣れます。新しい人格を使いこなすスキルは、驚くほど簡単に身につけることができるはずです。

ビッグ4を探そう

ここまでは、自分のなかで存在を認識されていなかった「人格」について話してきました。では、すでに存在が認識されている人格についてはどうでしょうか。自分の内部で行われる議論によく顔を出す複数の論客の存在を感じている人は多いと思います。

模範解答を示す判事　　独創的なアーティスト
世話好きなおばさん　　癒やし系のお姉さん
ちょっとへそ曲がりの反逆者　　独創性豊かな発明家
大胆な決断をする賭博師　　すぐ失敗を認める悲観主義者
なかなか決断できない心配性　　好奇心旺盛な活動家

あなたも自分のなかに、こうした「人物」の存在を感じたことはあると思います。著名な神話学者ジョセフ・キャンベルは、「人間ひとりひとりが1000の顔を持つ英雄である」と表現しています。さすがに1000個の人格をすべて掌握するのは骨の折れる作業です。そこで、ここではパフォーマンス・ギャップの罠を避けて、社会でリーダーシップのとれる人間になることに目標を絞りたいと思います。まず、自分のなかから以下の4つの人格を探し出してみてください。

夢想家
思考家
恋人
闘士

この4人を自分のなかの「ビッグ4」と呼ぶことにします。この4人は誰のなかにも存在します。そして、職場か家庭かを問わず、日常のあらゆる場面に登場する人物です。この4人は別々の役割を果たしていますが、会社組織にたとえるとわかりやすいと思います。

夢想家＝最高経営責任者（CEO）
思考家＝最高財務責任者（CFO）
恋人＝人事担当副社長
闘士＝最高執行責任者（COO）

立場が違えば、優先事項は異なります。所有する専門知識も違います。この4人のなかの誰が抜けても、経営会議はうまくいかないということはわかりますよね？ CEOがいなければ大胆な長期計画は立てられませんし、COOがいなければ会議の内容は実行されずに机上の空論で終わってしまいます。CFOがいなければ会社の財務計画は破綻《はたん》しますし、人事担当副社長がいなければ最適な人材を雇えなくなります。会社は4役そろってはじめて、包括的な決断ができるのです。これは、あなたという個人のレベルでも同じです。

家庭でも、職場でも、あなたの内側に存在するビッグ4は、それぞれに違った場面で強みを発揮します。たとえば、職場でクライアント向けの資料を徹夜で仕上げなくてはいけない日があったとします。もしくは、家庭で親戚じゅうが久しぶりに集まるパーティーを任されたとします。このような場面ではあなたのなかの「闘士」にビッグ4の指揮役を任せると物事が順調に進みそうな気がしませんか？

家庭で年老いた両親に介護が必要になり、兄弟のあいだで介護の順番やヘルパーの費用を分担しなくてはいけなくなったとします。兄弟で争わずに、負担を平等にするにはどうしたらいいでしょうか。職場で、生産性を落とさずに、部下みんなに平等に休暇をとってもらうにはどうしたらいいでしょうか。こうした難しい決断を下すときは、あなたのなかの「思考家」の出番です。

仕事では、たった1回の接待で大型クライアントのハートをつかまなくてはならないというような場面があります。プライベートでは、「夫が家を出ていってしまった」と泣きつづける妹を慰めなくてはいけないというような場合もあるかもしれません。こうした場面では、あなたのなかの「恋人」が前面に出る必要があります。

また、そろそろ定年退職が近づいてきたとします。あなたは、「第二の人生」を楽しむプランを考えなくてはいけません。そこへ、大親友から50歳の誕生日の記念として、一生の思い出になるような旅行プランを考えてほしいと頼まれたとしましょう。あるいは、職場で3年後に大ヒットする製品のアイデアを求められるかもしれません。そのような場面では、自分のなかの「夢想家」に大活躍してもらいます。

1人の人間のなかに、ビッグ4の4人がバランスよく存在することが理想です。そして、臨機応変に「夢想家」「思考家」「恋人」「闘士」を呼び出せるようになれば完璧です。ただ、はじめから内面に存在する4人を平等に使いこなせる人はいません。通常、4人のうちの1～2人がほかの存在よりも出しゃばっているものです。内側の4人をうまく使いこなすようになるには訓練が必要です。4人を頻繁に呼び出せば呼び出すほど、あなたは4人をうまくコントロールできる

図2

あなたのなかの「ビッグ4」	役割と特徴
最高経営責任者（CEO） ＝夢想家	最大限の可能性を導き出す、 戦略を立てる、 方向性を指示する
最高財務責任者（CFO） ＝思考家	客観的な視点を提示する、データを分析する、危機を避ける
人事担当副社長 ＝恋人	他人の面倒をみる、感情に配慮する、人間関係がスムーズにいくように気を配る
最高執行責任者（COO） ＝闘士	行動を起こす、計画を実践する、目標を達成する

図3

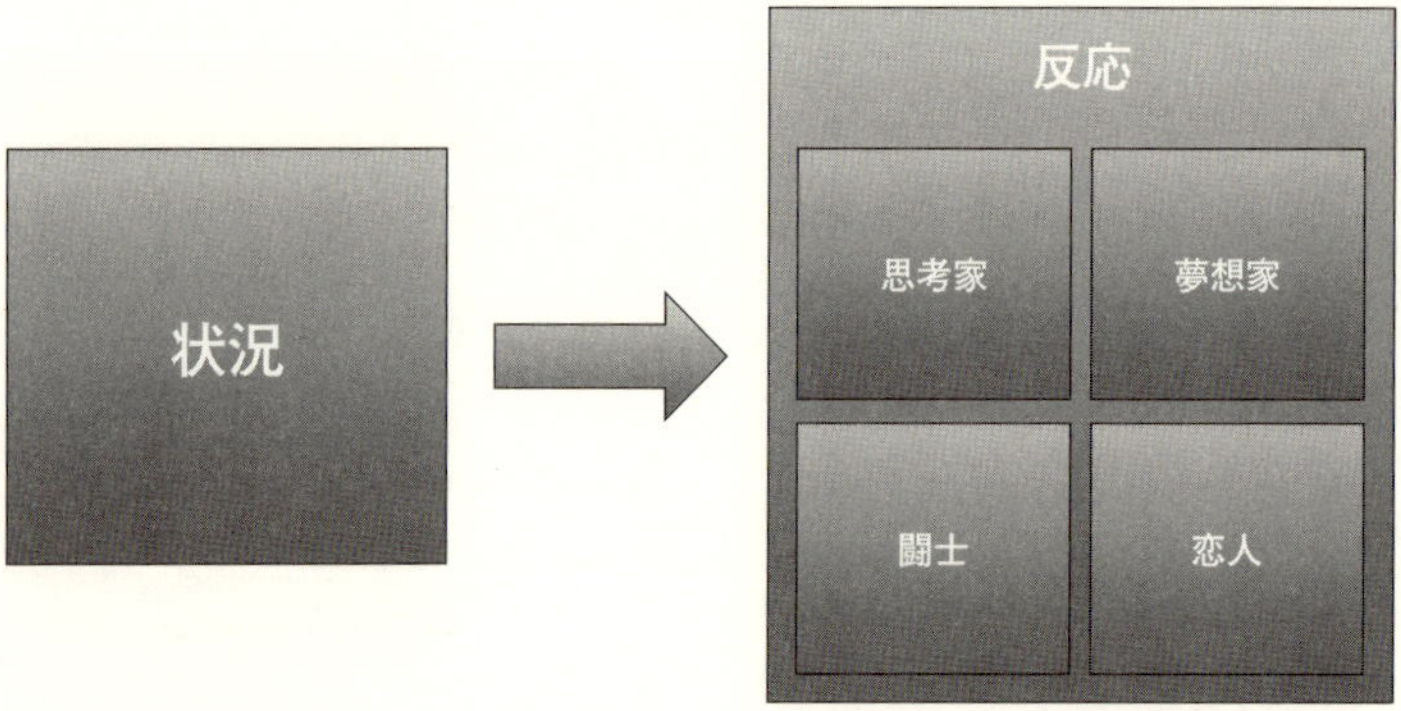

ようになるでしょう。そのうち、状況に応じて、効果的に必要な存在を簡単に呼び出せるようになります。

ここまで話を進めてきて、自分のなかに存在するビッグ4をきちんと確認できた人もいれば、「自分のなかには4人ではなくて3人しかいない」と感じている人もいるかもしれません。また、4人のなかでいつも前面に出ているのが誰だかわからないという人もいるかもしれません。

ここでテストをしてみましょう。

これは夫婦の会話例です。あなたが口にしそうな返事を①～④から選んでください。

あなたの夫、もしくは妻がこう言ったとします。

「休暇がどうしても必要だと感じている。お金に余裕がないのはわかっている。でも、精神的にも肉体的にも限界なんだ。リフレッシュする必要がある」

あなたの答えは？

①いいわね。ビーチで2人で毛布にくるまって、波の音に耳を傾ける。すてきだわ。
②すでに家計は予算オーバーだと思うけど、休暇にどのぐらいお金がかかるか調べてみましょう。貯金と照らし合わせて、バカンスに行くかどうか判断しましょう。
③疲れているみたいだけど、大丈夫かしら。たいへんそうね。何があったのか、話してみて。

④これから数週間、毎日残業して、外食をやめれば、借金の一部を返せるはず。借金が減らないかぎり、休暇は無理よ。

正確な言い回しは違っても、自分がいちばん口にしそうな返事を選んでみてください。①は夢想家、②は思考家、③は恋人、④は闘士が前面に出ている回答です。

次に、自分が言ってもらいたい回答や言われたくない回答を選んでみましょう。その後、それぞれの発言をしたときに、あなたが夫や妻から受ける反応についても想像してみてください。たとえば、あなたは④のような「闘士」の意見を言われたくないと感じるかもしれません。現実社会では、闘士の声は「厳しすぎる」、もしくは「優しさが足りない」ように響きます。実際、職場や家庭でこうした意見をストレートに表現するのは避けるべきかもしれません。一方で、闘士の声を無視しつづけることへの欠点にも目を向けてほしいのです。

あなたは自分が優しい母親であることを誇りに思っているとしましょう。成人した子供たちも困ったことがあると自宅に遊びにきて、聞き上手のあなたにいろいろと愚痴っていきます。あなたとの会話が心地のよいものだからです。しかし、子供たちは厳しい指摘も必要としています。いつも耳触《ざわ》りのいいことばかりを言っていると、いつしか子供たちは厳しい指摘をしてくれる別の人のところに相談に行くようになってしまいます。間違いを指摘しないでいると、子供たちはいつしかあなたのアドバイスを信用しなくなるでしょう。

職場でも、同じことが言えます。耳触りのいいことばかり言う同僚をあなたは信用しますか？しませんよね。ビッグ4には、それぞれ長所と短所があることを理解してください。夫婦関係を良好に保ちたかったら、ときには「恋人」としてパートナーの意見に耳を傾けて、「夢想家」として休暇をいっしょに夢見て、「思考家」として金銭面の計画を立て、「闘士」としてその計画を実行する必要があるのです。ビッグ4のひとりひとりを最適な場面で、最適な方法で活用する技術を身につけることが、パフォーマンス・ギャップを避ける最善の道なのです。

行動には男女差があるのではないかという意見もあると思います。実際、男女では脳の働き方が違うという研究結果も多く発表されています。ただ、いろいろな職種の人間にアドバイスをしてきた私の経験からすると、こうした研究では男女差が強調されすぎているように感じます。男性も女性も同じ人間です。男性であろうが、女性であろうが、内側に「暴君」と「聖人」を抱えているという事実はいっしょです。パートナーにとって、「最高の理解者」にもなりうるし、「鬼夫・鬼嫁」にもなりうるのです。

3章

ビッグ4を使いこなす

大手製造メーカーのセミナーに参加した際、その社のCEOが社員に向けて行ったスピーチを聴く機会がありました。スピーチの内容は、「2008年の金融危機以降、業績が厳しく、私も精神的なプレッシャーを感じていたようです。私のなかの〝悪いアンドリュー〟が頻繁に顔を出して、部下に八つ当たりをしたり、会議中にキレたりする場面が増えました。これは経営陣に悪影響を与えました。こうした経験を通じて、私は厳しい状況のときこそ、〝よいアンドリュー〟の出番だと気がついたのです」というものでした。この本をここまで読み進めてきたあなたなら、こうした「あなたのなかの悪い部分を排除して、よい部分だけを伸ばしましょう」という手法が間違っていることはおわかりですよね。

繰り返しになりますが、あなたのなかには「悪い部分」も「よい部分」もないのです。すべて動員されることで、あなたはあなたになることができるのです。ここでは「好き」「嫌い」を問うているわけではありません。たとえば、私は自分のなかの「寂しがりや」で「傷つきやすい」気質が嫌いです。しかし、嫌いだとしても、それが悪い部分というわけではありません。こうした気質が発揮する強みもあるので、排除されるべきではないのです。

別の例を挙げましょう。春夏秋冬のなかで、あなたはよい季節と悪い季節を選べますか？　好き嫌いは言えても、優劣は選べませんよね。東西南北でも同じです。「東より西が優れている」なんてことは、絶対にありません。すべてそろって方角なのです。あなたを混乱させようとして、このような例を挙げているわけではありません。人間の本質も、自然と同じだと私は言いたいのです。ビッグ4全員がそろって、あなたはあなたになるのです。

図4では、ビッグ4の違いを簡単にまとめまし

図4

ビッグ4	重視するのは	パワーの源は	役立つ場面は
夢想家	何がほしいか、何がほしくないか	直観	イノベーション（技術革新）
思考家	自分の意見、アイデア	理由・理屈	分析
恋人	２人がどう感じるか、２人の信頼のレベル	感情	人間関係
闘士	任務は何か、線引きをどこにするか	意志	達成

図5

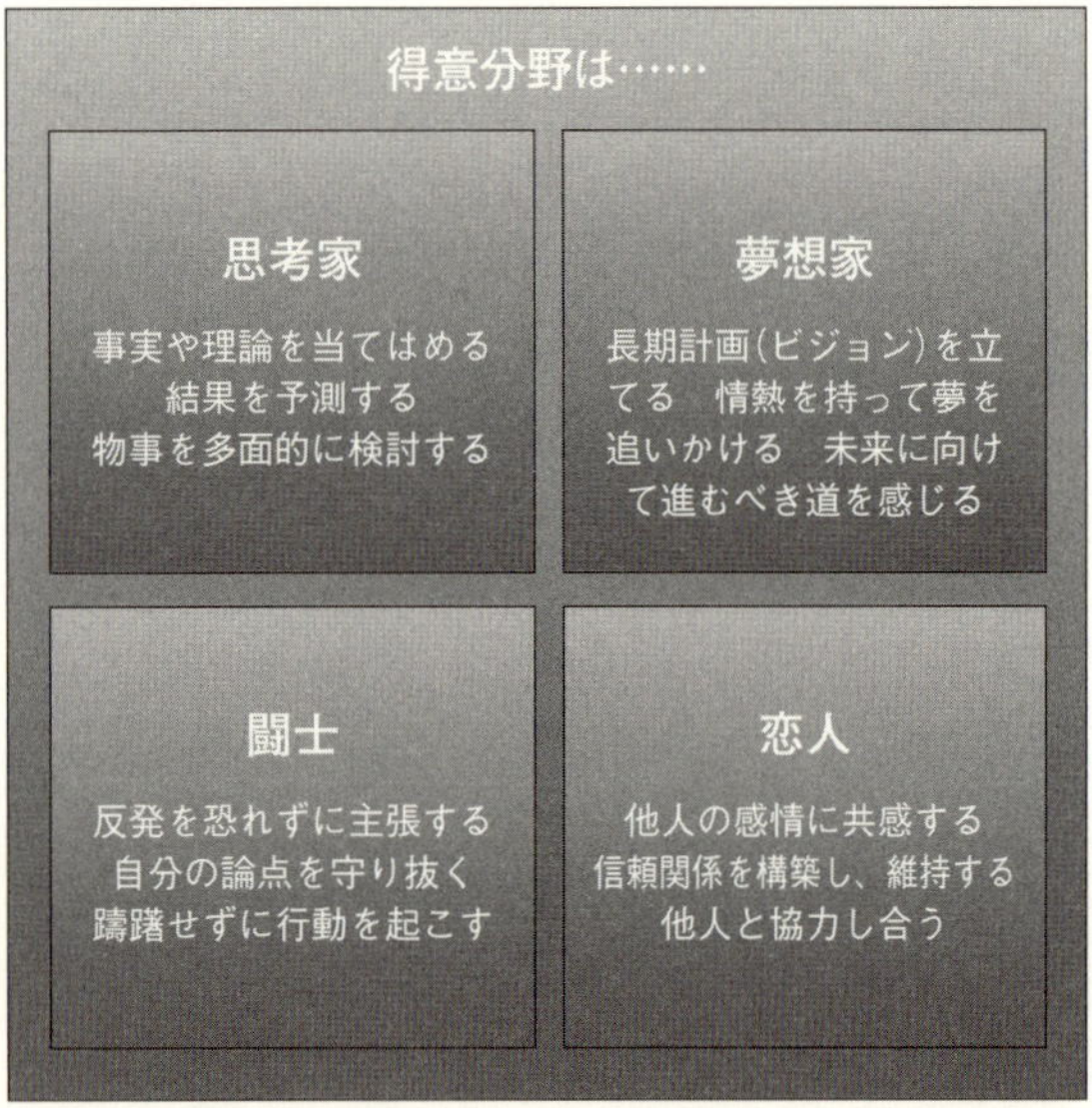
得意分野は……
思考家
事実や理論を当てはめる
結果を予測する
物事を多面的に検討する
夢想家
長期計画(ビジョン)を立てる　情熱を持って夢を追いかける　未来に向けて進むべき道を感じる
闘士
反発を恐れずに主張する
自分の論点を守り抜く
躊躇せずに行動を起こす
恋人
他人の感情に共感する
信頼関係を構築し、維持する
他人と協力し合う

た。とくにここでは、それぞれがもたらすスキルの違いに注目しています。「役立つ場面は」の欄を見てください。

私は企業に対するコンサルティングを生業《なりわい》にしていますが、大小を問わずほとんどの企業が、従業員に対してこの4つのスキル――「イノベーション力」「分析力」「人間関係力」「達成力」――を人事考課の対象にしています。職種によって、4つのうちのどのスキルが最も評価されるかは異なるかもしれません。ですが、どんな職種でも、ビッグ4全員が必要とされていることはわかっていただけると思います。

図5では、ビッグ4それぞれの得意分野をまとめました。ここまで読んでも、まだあなたは4人全員はいらないと思っていますか。では、ベラの例を考えてみてください。

ベラは、自分は「恋人」型の人間で、「闘士」は悪者だと考えています（図6）。自分のなかに「闘士」的な部分は持ち込みたくないと思っているので、部下にクビを言い渡せないまま、時間だけが過ぎていってしまっています。その間、会社は必要のない人材に給料を払いつづけなくてはいけません。ベラが考えるように、闘士的要素は使い方を間違えると、人を傷つけることもあります。しかし、自分の仕事を全うするために必要な部分でもあります。このままでは、ベラ自身の評価に傷がついてしまいます。

では、ジャレッドの場合はどうでしょうか。ジャレッドはベラとは反対に、職場で自分のなかの「闘士」ばかりを活躍させているケースです（図7）。

図6

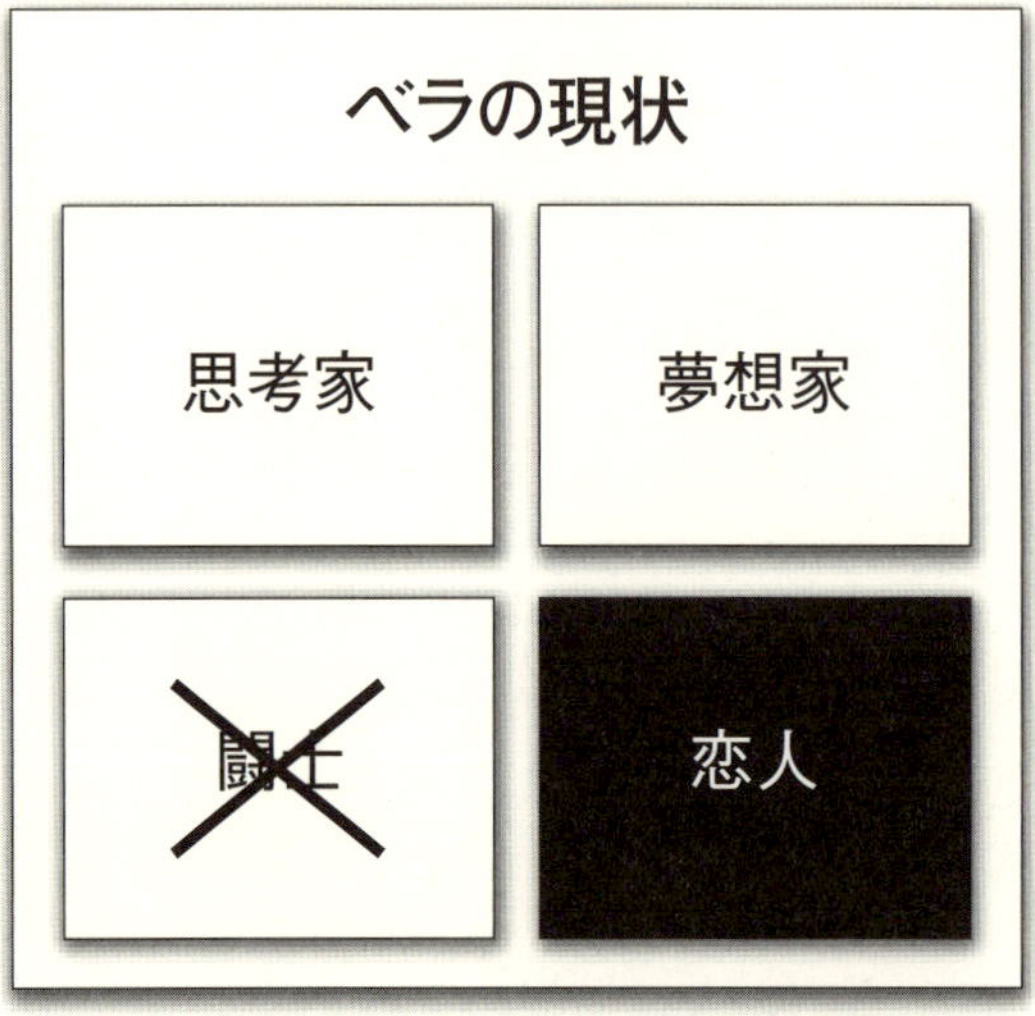
ベラの現状
思考家
夢想家
闘士
恋人

図7

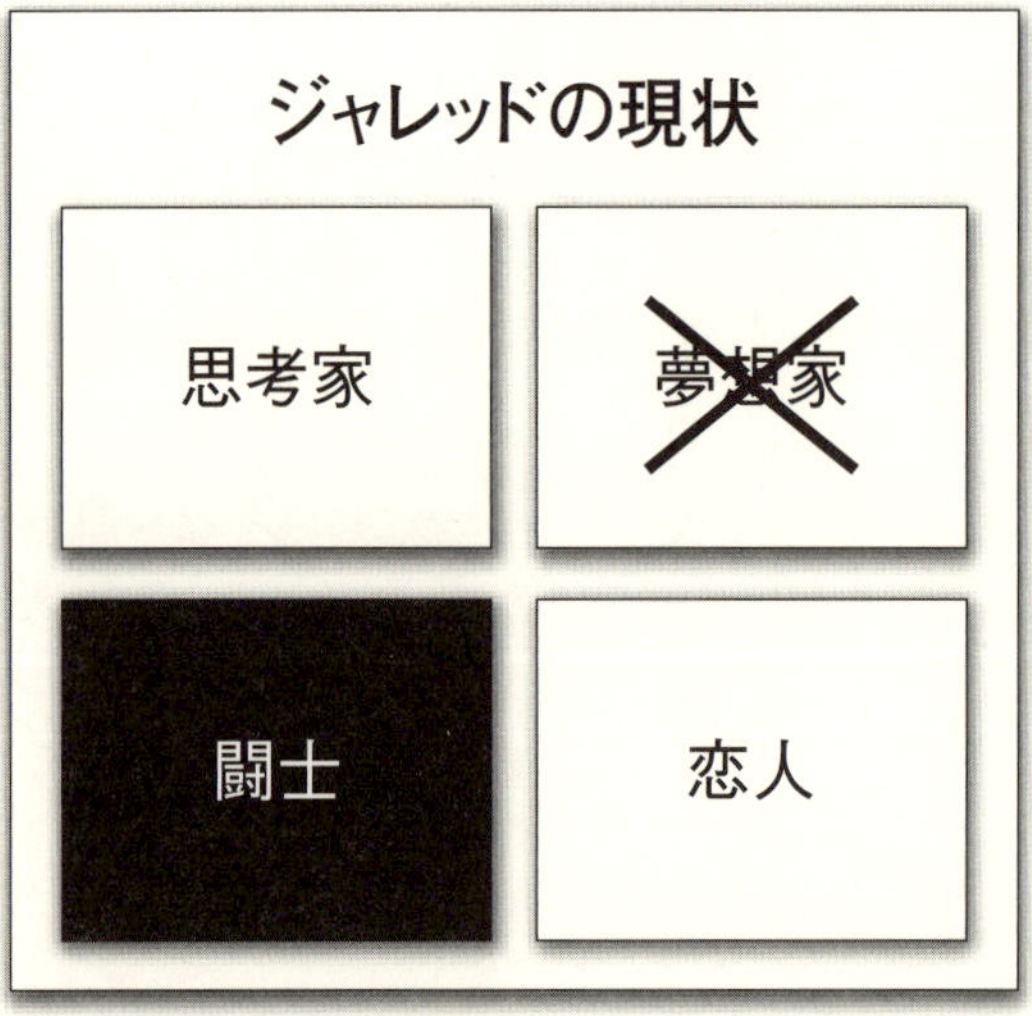
ジャレッドの現状
思考家
夢想家
闘士
恋人

ジャレッドは、非営利団体でルワンダへの支援活動を担当しています。補助金申請の締め切りが近いにもかかわらず、プロジェクトリーダーたちからいっこうに提案書が上がってきません。はっぱをかけなくてはいけないと考えたジャレッドは、関係する人間に片っ端から催促の電話をかけ、メールを送付したのです。

こうした行動を起こす前に、ジャレッドは「提案書がどのぐらい進んでいるのか」や「何が問題で先に進めないでいるのか」などの聴き取り調査を個別に行うことを、怠ってしまいました。そのために、プロジェクトリーダーたちはジャレッドの行動を「侮辱だ」と感じてしまったのです。プロジェクトリーダーたちはみんなプロです。補助金申請の締め切りも認識しています。ただ、支援計画の細部にこだわりすぎて、申請書の作成がうまく進んでいなかっただけなのです。「ルワンダの役に立ちたい」という思いは、プロジェクトリーダーたちも同じです。いや、むしろジャレッドよりも強いかもしれません。ですから、ここで闘士を登場させて、叱りつけるのは間違った戦略です。必要なのは、夢想家のほうでした。細部にこだわりすぎずに、「ルワンダの役に立つ」という原点を思い出させてくれるCEOの存在こそ必要だったのです。

ジャレッドが言うべきセリフは、「書類を出せ」ではありませんでした。「ルワンダでどんな変化を起こそうとしているんだい」とか、「その変化をどうやって数値化しようか」とか、プロジェクトリーダーの背中を押すフレーズを口にしていれば、申請書の作成は早まったはずです。

問題は、ジャレッドが職場では自分の〝ソフトな部分〟は不要と思っていたことでした。部下にソフトな部分を見せたら、いっこうに仕事は進まないと信じていました。ただ、ここまで本書を読み進めてきたあなたなら、自分のなかにビッグ4全員が必要であるということを明確に理解できつつあるはずです。ソフトな部分も不要ではないのです。

ベラやジャレッドに、年にいちどの人事評価が下される場面を想像してみてください。ベラは「不要な人材にクビを言い渡せず、会社の財務状況に悪影響を与えた」ことを、ジャレッドは「部下にやる気を出させるスキルが足りない」ことを指摘されるはずです。ベラやジャレッドは、どう反応するでしょうか?

ベラは友人にこう打ち明けます。「私は優しすぎたみたい。これから、優しさは自宅に置いてくるようにするわ。職場では、厳しい人間になると決めたわ」

「補助金申請を3本出して、そのうち2本が補助金を受けられた。もう1本も補欠として、まだ選考対象になっている。こんなに打率がいいのに、上司は俺の部下の管理方法に問題があるというんだ」。ジャレッドは親友と飲みながら、こう愚痴っています。親友と飲み終わった後、ジャレッドは転職支援会社に電話を入れました。人事評価が「馬鹿げている」ので、ほかに転職しようと決めたのです。

全か無かではない

一見、ベラとジャレッドの対応は異なっているように見えますが、根本はいっしょです。「全か無か」の選択をしているからです。

ベラの場合は、過去の自分をすべて捨てて、新しいベラになろうとしています。ジャレッドの場合は、「今の自分を全否定して、現在の職場に残る」か、「今の自分を全肯定して、転職する」かの選択をしています。

ジャレッドは、人事評価を間違ったかたちで受け止めてしまいました。会社は、ジャレッドの「部下に締め切りを守らせる能力」を評価していないわけではないのです。「部下にやる気を出させる」代わりに、「締め切りに遅れても構わない」とは一言も言っていません。今の管理方法に、部下にやる気を出させる「夢想家」が加わったらよりよくなるのではないか、と勧めているだけなのです。

闘士に夢想家が加わった新しいジャレッドは、すてきなリーダー役になれると思いませんか？ これはチャンスなのです。人生の新たな扉が開く可能性があります。ジャレッドの生活は――職場でも家庭でも――よりスムーズになるはずです。人事評価を「馬鹿げている」と一蹴してしまうのは、あまりにもったいないことです。

ベラとジャレッドの理想的な反応は図8のようになります。

図8

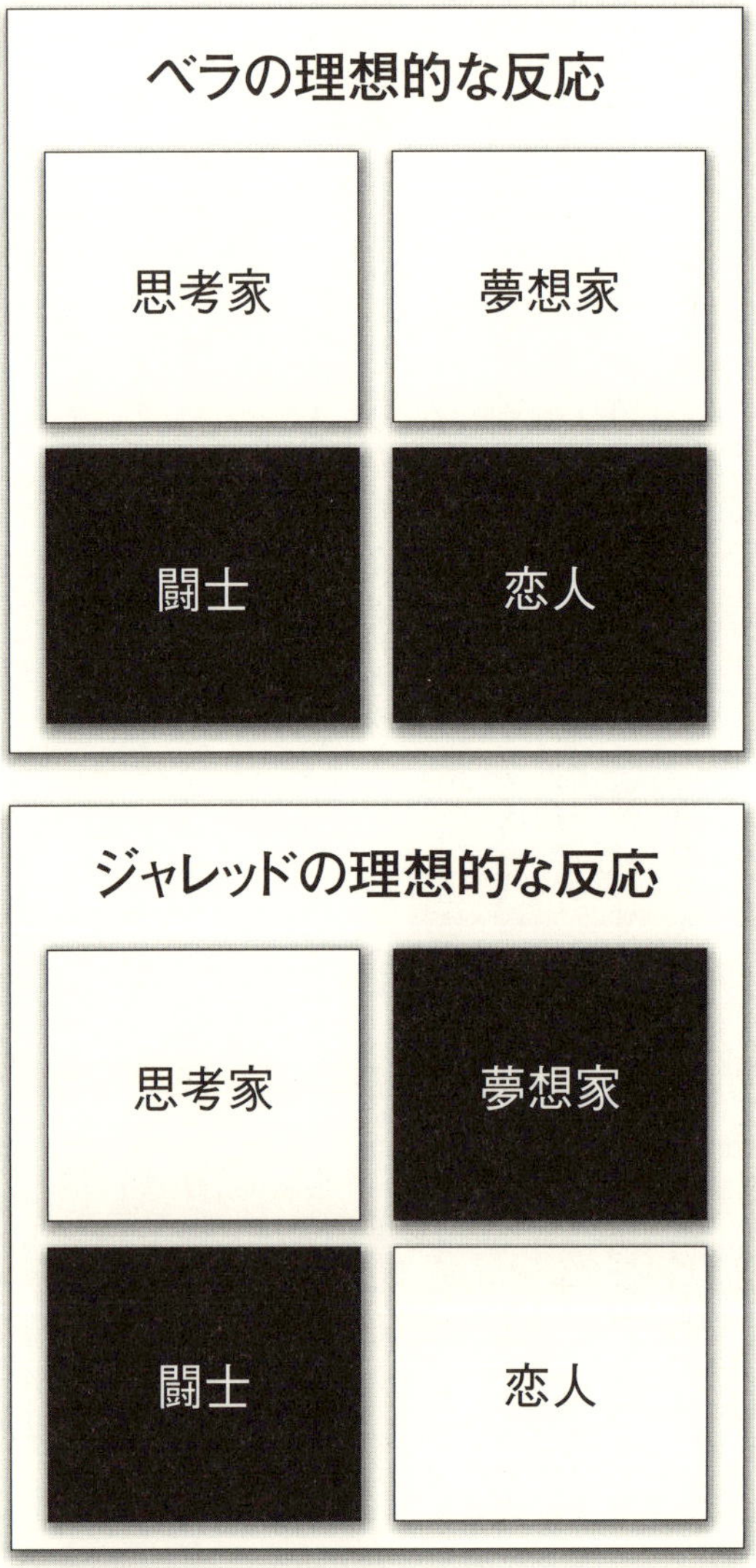
ベラの理想的な反応
思考家
夢想家
闘士
恋人
ジャレッドの理想的な反応
思考家
夢想家
闘士
恋人

「自己統御」は1日にしてならず

とはいえ、明日から突然、ジャレッドが自分のなかの「夢想家」を解き放つことは可能でしょうか。1日セミナーに参加したら、ビッグ4を使い分けるテクニックを伝授してもらえるのでしょうか。残念ながら、そう簡単にはいきません。

自己統御力は1日で習得できるものではありません。セミナーで教えてもらえるようなものでもありません。自己統御力を身につけるには、自分で「道のり」を経るしかないのです。道具のように借りてきたテクニックでは、自分の行動を根本から変えることはできません。

ただ、この道のりがかなりのくせ者です。今までに、自己統御力を身につけようと試みたことのある人ならおわかりだと思うのですが、なかなか自分が前進している感覚が得られません。ときには、後退しているのではないかと感じることすらあります。セミナーを受けたり、コーチをつけたりすることで、前進を早く実感できる可能性はあります。こうした手法がすべて無駄になるとは思いません。ですが、「進歩への道のりは一進一退を繰り返す」ということを肝に銘じておいてほしいのです。あなただけではありません。誰でも、体験する道のりなのです。

それでも、努力を続ければ、あなたは確実に変わっていきます。もしあなた自身が変化を感じられなくても、まわりの人たちが、あなたのなかで何かが変わりはじめているのを感じてくれるはずです。

あなたは、このような感じで変化していくのではないでしょうか。

1　時々、パフォーマンス・ギャップの罠にはまっていたこともあったようだ。しかし、人生はおおむね順調で、パフォーマンス・ギャップについて考えることもなかった。

2　取り返しのつかないミスをして、自分のなかのパフォーマンス・ギャップの深刻さに気がつく。

3　対策が必要と、覚悟を決める。

4　自分の内面を見つめるようになる。「ビッグ4」の存在についても認識しはじめる。

5　職場や家庭のさまざまな場面で、自己統御を練習する。パフォーマンス・ギャップの罠にはまらずに、自己統御に成功する場面も出てくる。達成感を味わう。

6　変化を感じられない日々が続く。自信を失いかける。

7　まったく予期せぬ事態に直面する。だが、パフォーマンス・ギャップに陥ることなく乗り切ることができる。

8　自分が想像以上にうまく事態を乗り切ったことに驚く。以前の自分との違いを実感する。

9　時々、パフォーマンス・ギャップの罠にはまってしまうこともある。それでも、その回数は確実に減っていく。

10　新たなアプローチを使ったほうが、さまざまな物事がうまく回ると感じるようになる。新

11

たなアプローチを、自分が頻繁にとる行動パターンに加えることに成功する。

まわりの人から「なんか変わったね」とか、「顔色がいいじゃないか」など、頻繁に声をかけられるようになる。まわりの人たちは何が変わったのかをつかみ切れずに、「髪形を変えた」「痩せた」などと、的外れの指摘をするかもしれない。それでも、確実にあなたがいい方向に変わっていることを教えてくれるようになる。

図9

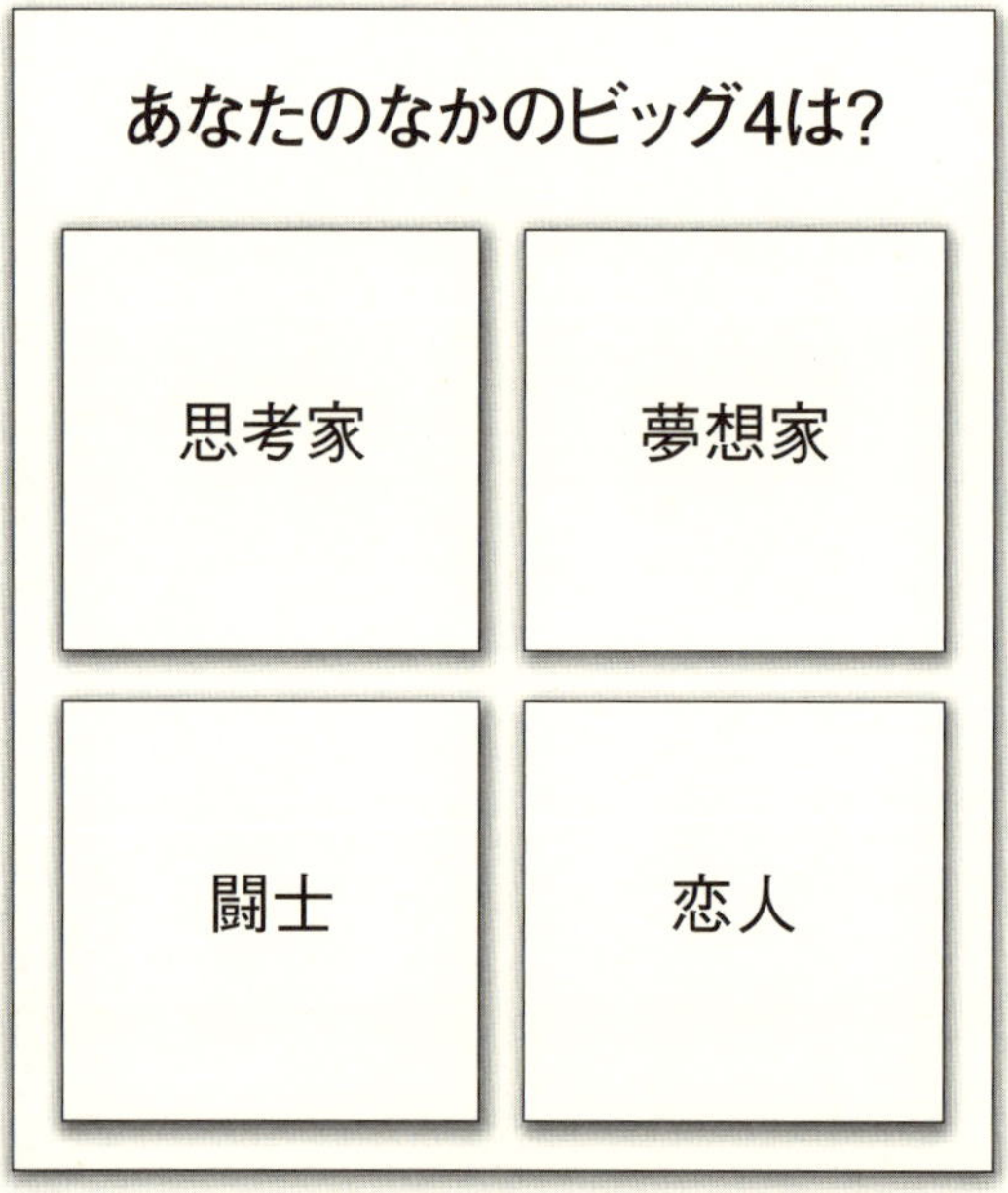
あなたのなかのビッグ4は?
思考家
夢想家
闘士
恋人

4章 自分のなかにトランスフォーマーを持とう

あなたのなかの「夢想家」「思考家」「恋人」「闘士」は、会社組織にたとえると、それぞれ**最高経営責任者（CEO）、最高財務責任者（CFO）、人事担当副社長、最高執行責任者（COO）**にあたると説明しました。つまり、経営陣にあたる存在です。会社組織では、こうした経営陣の上に監督役を務める取締役会が存在します。あなたのなかにも、取締役会を置いたほうがいいとは思いませんか？

取締役会は、経営陣から独立した存在です。より大きな視野に立ち、組織が効率的に機能しているか、法律を遵守しているか、などについて監視してくれます。会社が大局を見失わないように、指導する役割も果たしています。

あなたのなかのビッグ4も、取締役会が監督したほうがパフォーマンスが向上します。ビッグ4のあいだで意見が異なったときには、取締役会が4人から平等に意見を聞いて、取りまとめ役を果たしてくれます。ビッグ4のなかの誰かが目的を見失いそうになったら、本来の役割を果たすように指導してくれます。あなたが成長しつづけられるように、励ましてもくれるのです。

自分のなかに取締役会を置く

取締役会メンバーの数は、会社によってまちまちです。3人という会社もあれば、30人という会社もあります。あなたのなかの取締役会のメンバーは、シンプルに3人ということにしましょう。

取締役会の3人には、それぞれ「見張り」「船長」「旅人」という名前をつけます。また、3人をまとめた呼び名は「トランスフォーマー（変革者）」です。トランスフォーマーは、ビッグ4とは違ったレベルで活躍します。ビッグ4が中核であなたを運営する役割を果たしているのに対して、トランスフォーマーは変化の過程のなかの、その変化を起こすきっかけをもたらします。

自分の内面を図で表した場合、ついビッグ4を中心に置きたくなります。しかし、本書ではあえてトランスフォーマーを中央に据えます。図10を参照してください。

私がビッグ4と呼んでいるものは、一般には「エゴ（自我）」や「ペルソナ（仮面）」と呼ばれているように思います。西欧社会では、このエゴを「アイデンティティ（個性）」と同一視する傾向が強いようです。つまり、無意識のうちにビッグ4があなたという人間のすべてを占めると

図10

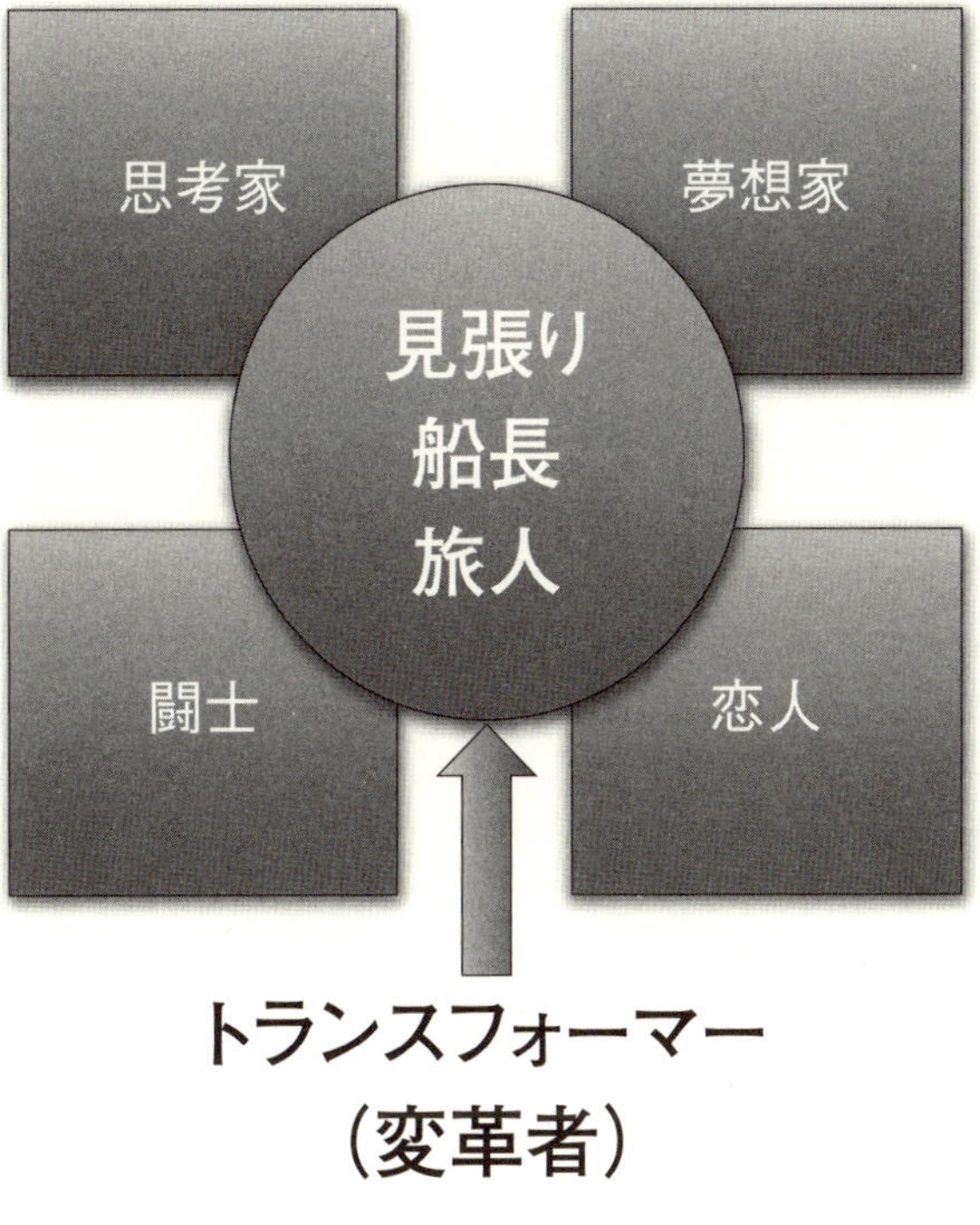

考えてしまっているのです。

ただ、賢者の意見は異なります。哲学者や宗教研究家によると、人間はビッグ4よりも深い部分に本質を隠し持っているものなのです。仏教徒で著名な哲学者のロバート・サーマンは「エゴを中心に置いた人間観から解放されるべきだ」と説いています。

私はビッグ4の中心にトランスフォーマーを置くことで、表面に見える行動を重視したエゴ中心型の現代的な人間観と、内省を重視した古くから伝わる賢者の考え方を結びつけることができるのではないかと考えています。人間の内面深くに潜む真の力を、毎日の生活で活用できるようにするのです。まさに、「実用的な賢者の知恵」とでも呼ぶべきものを実現しようとしています。

内面が進化すれば外側も自然に変わってくる。内と外の統合が進めば進むほど、あなたは成長する――『内面から勝つ』というこの本のタイトルには、こうした意味が込められているのです。

トランスフォーマー①　見張り

米国の歴史のなかで最も有名な「見張り」といえば、ポール・リビアではないでしょうか。独立戦争で英国軍の動きを見張り、後世に愛国者として名を残した人物です。彼が作り上げた「信号1つなら陸路から、2つなら海路から」という英国の進軍方法を知らせる暗号は、現在でも米国人のあいだで広く知られています。

1775年、リビアが伝令として馬を走らせ、建国の父らに英国の進軍を知らせた場面は「真夜中の騎行」と呼ばれ、独立戦争で最もよく語られる場面の1つです。物語のなかではよくリビアが「英国軍が来るぞ」と馬上で叫びながら街を駆け抜けるシーンが登場しますが、実際には軍事上の機密事項として静かに伝令役を務めたと言われています。史実が物語ほどドラマチックなものでなかったとしても、リビアが見張りとして重要な情報を得て、その情報を必要とする人のところにきちんと伝達した事実に変わりはありません。

見張りの役割とはなんでしょうか。リビアが体現してみせたように、何が起きているのかに注意を払い、その情報を必要とする人物のところに届けるということです。情報を必要としている人は、見張りからの情報を得てはじめて正しい行動を起こすことができます。見張りが迅速に情報を伝達できれば、失敗を免れることができるのです。

あなたのなかの取締役会のメンバー3人のうちの1人が「見張り」です。あなたに何が起きているのかを注視する役割です。たとえば、あなたが同僚の1人にイライラして、文句を並べたメールを書いてしまったとしましょう。送信ボタンを押す前に、「そのメールを送ったらトラブルになるよ」と教えてくれるのが見張りです。そして、あなたは送信ボタンを押す代わりに、冷静に削除ボタンを押すことができるようになります。

見張りの役割はとても重要です。なぜなら、あなたのなかのビッグ4が間違ったり、暴走したりするのを防いでくれるからです。ビッグ4の決定をただの衝動的な反応なのか、有効な提案なのかを判別し、あなたがビッグ4の決定に従って行動すべきか、すべきではないかを冷静に判断する材料を集めてくれるのです。見張りはあなたに命令を下したり、何かを要求したりはしません。「闘士が騒いでいるね？　君らしくないよ」とか、「君のなかの恋人が過剰反応しちゃっているね」とか、行動を起こす前に耳元でささやいてくれる存在なのです。

トランスフォーマー②　船長

ノーベル平和賞受賞者のワンガリ・マータイさんをご存じですか。ケニア出身の環境活動家で、政治活動家としても有名になった女性です。彼女の人生ほど、ビッグ4を取りまとめる「船長」の大切さを体現した例はないと思います。

・夢想家として……「環境保護」「人権の尊重」「貧困層の縮小」が密接に連携していることを世界に知らしめました。守られた公共の土地のなかで、女性の〝生活の質〟を向上させるという夢を描いたのです。よりよい世界の実現を情熱的に追い求め、国連の貧困縮小政策「ミレニアム開発目標」を指揮する役割も果たすようになりました。ミレニアム開発目標は、国際政治の歴史のなかで、世界規模で最も貧困層の縮小に成功した例として知られています。

マータイさんは、アフリカ出身の女性としてははじめてノーベル平和賞を受賞しました。

- **思考家として……**化学と生物学の両方を勉強し、修士号を取得しました。その後、東アフリカ出身の女性としては、初の博士号保持者になります。大学で獣医学を教え、本を4冊出版しました。世界中の大学から名誉学位を授与され、気候変動などの世界的に重要な課題について積極的に自分の意見を発表しました。
- **恋人として……**環境に向けてだけでなく、世界中の人々に対して愛情を注ぎました。環境保全を通じて、女性と子供の生活水準を高めることに成功したのです。世界中で和平と民主主義の定着に尽力しました。
- **闘士として……**1977年、たった1人でケニアを緑化する活動を始めました。植樹活動を女性の社会進出につなげる活動は、その後、「持続可能な開発計画（サステイナブル・デベロップメント）」の世界的なモデルケースとなりました。彼女の指導の下、ケニアで何千万本もの樹木が植えられました。彼女の活動は自然を守り、当時の人々の生活水準を向上させただけでなく、未来の人類の生活にもよい影響を与えることになったのです。

マータイさんのような偉大な人物は確かに稀です。私もあなたもノーベル賞を受賞するほどの偉業を成し遂げる可能性は低いかもしれません。それでも、身近な問題を解決するために、ビッグ4全員のバランスをとる船長役が自分のなかに必要な事実に変わりはありません。

船長は、「夢想家」「思考家」「恋人」「闘士」のコーディネーター役を務めます。船長は、ビッグ4それぞれが異なった意見を持ち、優先事項が異なることを理解しています。たとえば、恋人はあなたのなかの人間関係への欲求を代表し、闘士は自己実現や保身に対する欲求を代弁します。船長は、こうしたまちまちの意見をありがたがる存在でなくてはいけません。なぜなら4人全員が意見を持ち寄ることで、はじめてあなたのなかにあるすべての欲求が出そろったことになるからです。1人でも意見を言い損ねたら、あなたのなかで不満が残ってしまいます。

あなたのなかで4人が別々の意見を言い合っている状態は、問題ではないのです。問題となるのは、4人のなかのたった1人が大声で叫んだ意見が「あなたの意見」として採用されてしまう状態です。ビッグ4の役割は、それぞれの意見を言い合うことです。お互いの意見を聞き合うのは、彼らの役目ではありません。そこで船長が必要になるのです。船長は、4人から言い分を聞いて、次にとるべき最善の行動を決めるという役割を果たします。

マータイさんの例に戻ってみましょう。彼女のなかの思考家は、勉強が大好きだったに違いありません。大学に残って一生研究者として働いていても、幸せだったかもしれません。ですが、幸いなことに、彼女のなかの船長が機能して、ビッグ4のほかのメンバーにも意見を聞いてくれたのです。おかげで、マータイさんは彼女のなかの勉強好きという一部だけでなく、ほかの強みも活用することができました。繰り返しになりますが、ビッグ4はそれぞれに異なった強みを持ち、異なったスキルを持ちます。図11を参照してみてください。

図11

ビッグ4	強み	スキル	提供するのは
夢想家	創造性	革新（イノベーション）	方向性
思考家	明確性	分析	熟慮
恋人	思いやり	人間関係	連携
闘士	勇気	達成	保護

自分のなかの船長を探す作業は、彫刻に似ているかもしれません。彫刻家ミケランジェロは、ダビデ像を制作した作業をこう表現したと言われています。「大理石のなかにすでにダビデは存在していたんだ。大理石のなかで自由になりたがっていたダビデを彫り出してあげただけなんだ」——。船長もすでにあなたのなかに存在しています。そして、見つけてもらえるのを待っています。

経営陣を対象にしたセミナーで、私はこの「船長探し」の作業を行っていますが、経営者にとってこの体験は驚きが多いもののようです。経営のトップに上り詰めるような人は、普通、思考家を前面に押し出して生活していることが多いものです。ついつい人を疑ったり、物事を斜に構えてとらえたり、皮肉を言ったりしがちになっています。しかし、船長を見つけた途端に、自分のなかに懐疑的でも皮肉屋でもない「もう1人の自分」が存在することに気づかされるのです。これは彼らにとって目新しい経験です。「こんな気分になるのは子供のとき以来」と感じる人も多いようです。

1週間のセミナーでは、だいたい週の半ばに参加者は変化を感じはじめます。その変化を、多くの人が自分のなかにゆとりが生まれたと表現します。端《はた》から見ている私にも、その変化は伝わってきます。不信感に満ちあふれていた雰囲気のビジネスマンが、リラックスして、柔らかくなっていくのが見て取れます。人生を楽しんでいる感じが出てくるのです。

私のセミナーに参加したウィンストンは、参加から1年後に、自分のなかに船長を置く生活をこう表現しています。「愛ある生活から生まれるパワー、そして自由さがさまざまな奇跡を起こしています。その奇跡は、私にだけ起きているわけではありません。私がかかわる大切な人たちすべてに奇跡が訪れています」

ウィンストンの仕事は、大手保険会社の戦略アドバイザーです。セミナーに参加したころ、ウィンストンは結婚生活、親子関係、職場環境のすべてに苦しんでいました。ウィンストンがこうした文章を書けるようになるまでに、とても長い道のりがあったことを私は理解しています。

ウィンストンは、セミナーで自分の舵取り役をビッグ4から船長に切り替え、ビッグ4を船の乗客として扱うことを学び、その後、実践しつづけました。そうすることで、自分の生活の質が向上しただけでなく、家族や顧客との関係まで好転したのです。

その存在に気がついていても、いなくても、あなたのなかに船長は必ずいます。ビッグ4が大きな声で話しかけてくるかもしれませんが、少し彼らと距離を置く訓練をしてみてください。すると、そこに静かに立っている船長の姿を見つけられるはずです。

トランスフォーマー③　旅人

英国人ビジネスマンのリチャード・ブランソン卿ほど、人生の旅を世界と共有してきた人物はなかなかいないと思います。人生ではじめて手掛けた事業は『スチューデント（学生）』という名の雑誌の発行で、彼はまだ16歳でした。次に、世界的に有名なブランドとなる音楽レーベル「ヴァージン・レコード」を立ち上げます。その後は、「ヴァージン・アトランティック」という航空会社を始めます。こうして、今ではヴァージン・グループの総帥として、傘下に400以上の企業を抱える存在となっています。米国の経済誌『フォーブス』の億万長者リストによると、ブランソンは英国で4番目の資産家ということになります。

スペイン人の詩人アントニオ・マチャドは、人々がうちに秘める旅人に対して、このような詩を書いています。まさに、ブランソンの人生そのものです。

旅人よ。あなたの足跡。
それが道。ほかに何もない。
旅人よ。道はない。
歩くことで、道はできる。

ブランソンは現在、初の民間宇宙旅行会社「ヴァージン・ギャラクティック」を成功させようとしています。また、海底観光を実現する方法を模索しているという報道もあります。まるで自分が生きていることを実感するために、次から次へと新しいことに取り組んでいるように見えます。ブランソンはこうした挑戦について、「肉体的にも、精神的にも、技術的にも難しい。だから、興味をそそられる」と語っています。「旅人」は、新しい体験を楽しみ、新しい体験から学び、新しい方向に能力を伸ばすことをいといません。ブランソンのように、あなたのなかの旅人も、行き先がわからない状態でも、その旅自体を楽しむことはできるはずです。

ブランソンの人生は、旅人の別の一面も体現しています。ブランソンといえば、ついこのあいだまでは、個人所有する島で派手なパーティーを開く風変わりな人物として広く知られていました。しかし今では、世界をよりよくするために最新の技術と私財を惜しみなく投入する善良な「世界市民（グローバル・シチズン）」として有名です。ブランソンは若いとき、社会に役立つ活動にじゅうぶんに時間を割けなかったために、「自分の人生に目的を感じられなかった」ことを後悔しているそうです。こうした反省から、現在はグローバルな課題に積極的に取り組むようになりました。旅人としての熱い情熱に、人間、そしてリーダーとしての成熟が加わったブランソンの人生は、まさに誰もが自分のなかに抱える旅人を解放するのにたいへん役立つ先例になっていると思います。

昨夏、私は夫のヨットに乗っていました。義理の息子の様子を見ると、ロープの結び目をじっと見つめているのです。「どうやるか知っているの？」と問いかけると、彼は「まだ知らない」と答えたのです。「知らない」ではなく、「まだ」という言葉を選んだところに私は興味を覚えました。５歳の少年の発言から「今は知らないけど、将来的にはその結び目をどう作るのかを習得しているはず」という自信を感じたからです。

研究者キャロル・ドゥエックは、こうした考え方を「成長型の心的態度」と呼びました。人生には学ぶことがたくさんあるということを認識し、変化のない毎日に安住するよりも挑戦したほうがいいと考える姿勢です。こうした考え方を持てば、失敗も成長するチャンスと思えるわけです。一方で、「固定型の心的態度」というのは、「これが私。がんばっても能力はこの程度。それ以上の結果は求めないでね」という姿勢のことです。あなたのなかの旅人は、成長型の心的態度を貫くための水先案内人のような役割を果たしてくれます。

脳は年齢にかかわらず発達する

長年、脳は子供の時期にだけ形成されると思われてきました。大人の脳は変化しないと言われてきたのです。しかし、この考え方は間違っていました。現在では、大人の脳も変化することがわかっています。脳には柔軟性があるのです。新しいことに挑戦すれば、ニューロン（神経細胞）が新たな方向に発射されて、脳のなかに新しい道ができます。神経の可塑性《かそせい》と呼ばれているものです。

著書*THE MIND AND THE BRAIN*（邦訳『心が脳を変える』）のなかでジェフリー・シュウォーツとシャロン・べグレイは、「端的に言うと、神経の可塑性とは脳が書き換えられることだ」と説明しています。

ソフィアはブラジル南東部の家族健康センターで働いています。夫サルバトーレと結婚し、マテウスとルカスという2人の息子に恵まれました。妻、母親、仕事人の3役を同時にこなすのは簡単ではありませんが、だいたいの場合、2役はうまくこなせています。

ある日、同僚のカミラからメールを受け取りました。リオデジャネイロで行われる学会にいっしょに行こうと言うのです。カミラはソフィアの財政状況を考慮して、ホテルの部屋はいっしょに泊まれることや、レセプションにいっしょに参加することで食事代を節約することなどを提案してくれました。しかし、ソフィアはメールを読んだ途端に落ち込んでしまいました。どうやって返事をしたらいいかわからなかったからです。

頭のなかでは、「学会に行けば、いい勉強になる」という考えと、「息子を週末に置いては行けない」という思いが交錯しています。息子たちは、その週末のサッカー観戦を楽しみにしています。母親もいっしょに行くべきです。

「学会も大切だけど、いつも自分は家族を優先してきたはず。学会のために家族をおろそかにするなんて、自分勝手すぎる」

1日悩みつづけた結果、「平日は働いて、週末も仕事というわけにはいかないわ。息子たちは今、私を必要としているの。でも、ほんとうにお誘いありがとう」という断りのメールをカミラに送りました。

夜、ベッドに入った後、ソフィアは敗北感でいっぱいになりました。家族が一番大事で、週末にいっしょに時間を過ごしたいと感じていることに間違いはありません。それなのに、なぜか学会を断ったことにすっきりしないのです。同じように子供がいるカミラは学会に行って、しかもその場で論文を発表する予定です。一方、ソフィアは学会に行くことすらできません。

なかなか寝つけないまま、ソフィアはどちらの選択をしても後悔する状況にいらだちを感じています。しかも、このいらだちははじめて体験するものではありませんでした。「家族か」「仕事か」で悩んで、家族を選ぶという選択は、いつもソフィアが繰り返している行動パターンです。しかし、なぜ自分がいつもそうした選択をしてしまうのかは理解できていません。

ソフィアの直面している問題は、あなたが抱える問題でもあります。なぜ自分がそうした行動をとってしまうのかを理解しないかぎり、あなたは何度でも同じ間違いを繰り返します。自分の行動パターンやリーダーシップのかたちを長期的に変えるためには、原因を突き止めなくてはいけません。自分のなかのビッグ4のひとりひとりの決断や行動の傾向をまとめたデータブックが必要なのです。

もういちど、ソフィアに何が起きているのかを詳しく見ていきましょう。ソフィアは今、なんらかの行動を起こさなくてはいけない状況に置かれています。彼女の人生にチャンスが訪れているのです。一方で、そのチャンスは妥協を求めています。キャリアを優先させるのか、家族との週末を選択するのか――ソフィアはジレンマを感じています。明らかに正しい選択というものは存在しません。どちらを選択しても、ソフィアにはなんらかの後悔が残ります。まさにパフォーマンス・ギャップに陥っているわけです。

ソフィアに今、「気分はどう？」と聞いたら、「最悪」と答えることでしょう。自分の人生にせっかくチャンスが訪れたというのに、家庭と職場の板挟みになって、一日中悩むはめになってしまったからです。しかも、悩んだ末にやっと結論を出したにもかかわらず、気分はまったく晴れません。

ソフィアの現状を図12で説明してみましょう。彼女に選択を迫る「状況」が起き、彼女はその状況に「反応」しています。ソフィアの言い分はもっともです。ソフィアの葛藤に「勝ち目」はありません。でも、それはソフィアの戦い方が間違っているからです。

現在のソフィアは、戦略のないまま試合を戦っている状態にあります。試合に勝ちたいと思っているのに、自分のポジションすら理解していません。ボールが自分のほうに飛んできたら、どう対応すべきかもわかっていません。もしかしたら、なんの試合を戦っているのかすら、理解し

図12

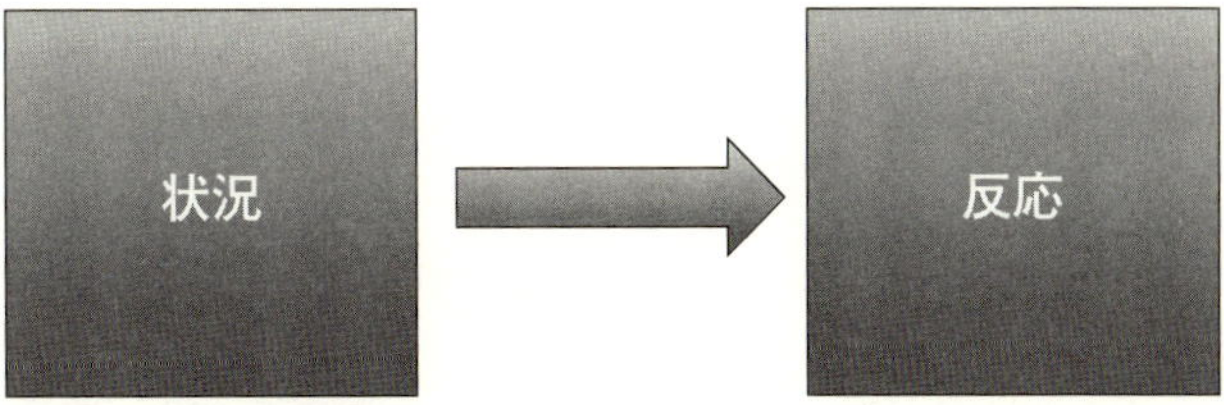

ていないのかもしれません。

別の言い方をすると、キャプテンなしで試合を戦っている状態と表現することもできます。選手は自ら作戦を立てることはありません。キャプテンがどんな試合をするのかを指示するのです。

ソフィアは戦略のないまま、試合を戦っています。どんな試合をしているのかもわかっていません。チームキャプテンもいないので、彼女のなかのビッグ4はバラバラのままです。これでは、試合に勝てるわけがありません。

ソフィアが試合に勝つためにはどうしたらいいのでしょうか？　つねに「内面から勝つ」ためにはどうしたらいいでしょうか？　今こそ、トランスフォーマーの出番です。

ビッグ4を選手にたとえると、見張りはスポーツコメンテーターのような存在と言うことができると思います。コメンテーターは試合についても、選手についてもとても詳しい存在です。コメンテーターは、試合が行われているコートに降りていくようなことはしません。メディア席からじっくりと

図13

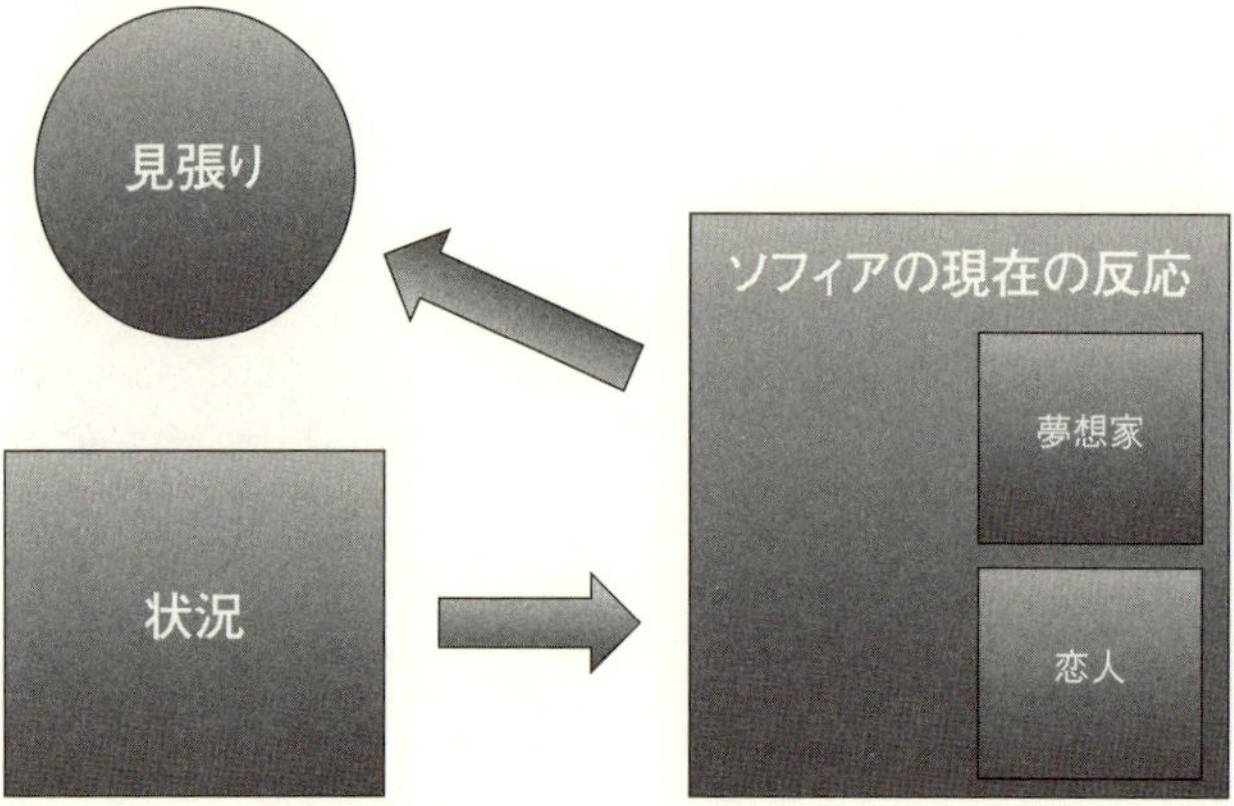

試合を観察するのです。そして、客席に座る観客やテレビで試合を見ているファンに対して、何が起きているのかを詳細に伝える役割を果たします。

同様に、ソフィアも見張りを置くことで、葛藤のなかでビッグ4の誰が話し合いに参加しているのかを見極めることができるようになります。そして、見張りからの報告によって、ソフィアのなかの話し合いには夢想家と恋人の2人しか参加していないことが判明しました。

夢想家　学会はすばらしいチャンスだわ。新しいことをたくさん学べる。

恋人　週末に子供を置いて行くことはできないわ。サッカー観戦があるんだもの。

夢想家　いつも家族を優先しているじゃない。今回ぐらい学会に行きたいわ。

勉強になるもの。

恋人　息子より自分のことが大事なの？　そのような自分勝手は許されないわ。

内面の葛藤が、実はビッグ4のうちの2人が発言しているだけだとわかったのは、大きな進歩です。内面のモヤモヤがかなりすっきりしたはずです。見張りがこうした現状をつかんだことで、ソフィアのなかの船長は、ほかの2人にも話し合いに参加することを要請できます。すると、思考家はこのような意見を披露してくれました。

思考家　議論していることは、そんなに重大なことではない。たった週末1回のことにすぎない。週末に母親が1回留守にしたって、子供たちはぜんぜん平気さ。一方、学会に行かなかったからといって、それが大問題になるとも思えない。カミラが戻ってきてから、話を聞くだけでもいい勉強になるはずだ。

思考家の意見はソフィアも納得できるものでした。続いて、船長は闘士にも意見を求めます。

闘士　俺に言わせると、夢想家の意見も、恋人の意見もダメだね。ソフィアは疲れているんだ。毎日、子供の世話と仕事に追われてクタクタだ。今のソフィアに必要なのは休息だ。その週末は仕事のためでも家族のためでもなく、ソフィア自身のために使うべきだね。1人で妹の家に遊びに行って、いっしょに買い物に行って、ビーチでゆっくり過ごすことを勧める。

今までソフィアは、自分のなかで夢想家と恋人だけを戦わせて、つねに恋人がその論争を制するというパターンを繰り返してきました。しかし、今回、見張りと船長を投入することで、この連敗サイクルから抜け出すことができました。ビッグ4すべてから意見を聞くことができたのです。

ソフィアのように、通常、私たちはビッグ4メンバーのうちの1人か2人からしか意見を聞いていないものです。それも、つい同じメンバーばかりから意見を聞いています。あなたのお気に入りの戦略ともいえますが、いつも同じ戦略でゲームを戦っていては、結果はいつも同じものになってしまいます。長続きするかたちで新しい自分を構築するには、自分の行動パターンを変えなくてはいけません。見張りと船長が必要なのです。ソフィアの新しい行動パターンを図14で示しました。変更を加えたことで、ソフィアはパフォーマンス・ギャップを避けられるようになります。

見張りと船長は、学会に参加するべきかどうかという課題について、ソフィアが正しい判断をできるかどうかを見守っていてくれます。夢想家と恋人だけに意見を聞くといういつものパター

図14

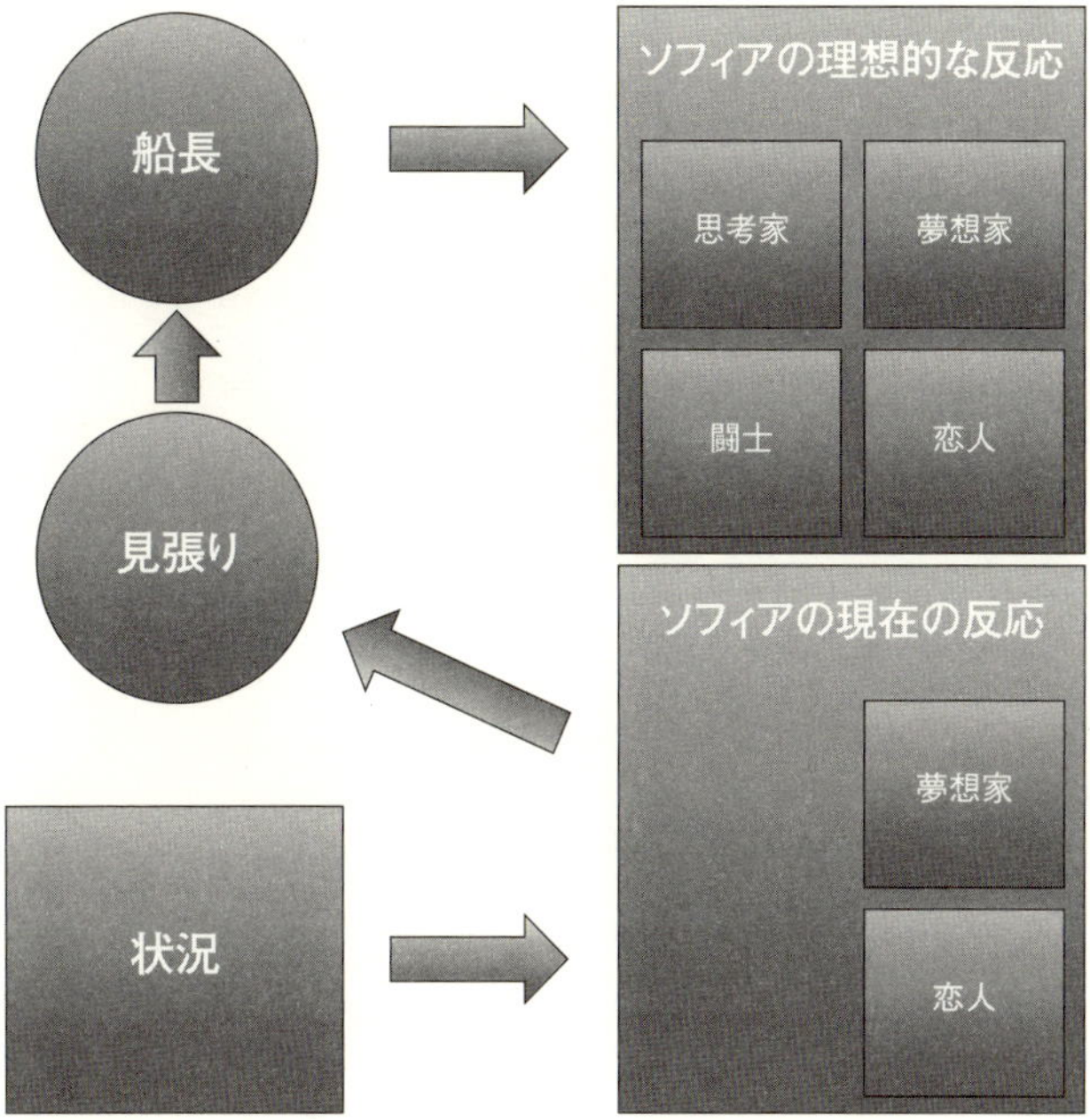
船長
ソフィアの理想的な反応
思考家
夢想家
闘士
恋人
見張り
ソフィアの現在の反応
夢想家
恋人
状況

ンを抜け出し、今日はじめてビッグ4全員に意見が聞けたことを「勝利」として誉め称えてくれるはずです。

旅人の役割も大切です。旅人は、今回ソフィアがとった新しい行動パターンが、一時的にたまたま採用されたものなのか、長期的に活用可能なものなのかを見守っています。人間は、自分のなかで認識した「性格」に自分全体を乗っ取られてしまうと、問題を抱えるようになります。同じ戦略で毎回戦って、毎回同じ結果を得るというサイクルに陥ります。トランスフォーマー的な視点を導入して、たまには戦略を変更しないと、自分の能力をじゅうぶんに発揮できずに、可能性を制限することになってしまいます。こうした状況で活躍するのが旅人です。

旅人があなたを新しい方向に導く

ウェインのケースは、旅人を有効に活用した例です。私のセミナーに参加したとき、はじめからウェインは印象深い人物でした。自己紹介で「テキサス州出身のウェインだ。仕事内容の詳細は教えられない。資産保護の仕事をしているとだけ言っておこう。だが、俺が寝るときに枕の下に隠している2つのものについては教えてやろう。携帯と銃だ」と言ったからです。

自分の性格について、「1に闘士、2に闘士、34がなくて5に闘士」と表現したウェインですが、私はどこか内面に魅力を秘めた人物だと感じていました。セミナーの初期段階では「交渉に勝つのに必要なのは脅し」と発言していたウェインでしたが、1週間のセミナー後半になると、少しずつ彼のなかの柔らかい部分が表面に現れてくるようになりました。高圧的な態度は変わりませんでしたが、ほかのセミナー参加者と会話を交わしたりするようになったのです。そして、ウェインは自分が他人に圧力をかけるのと同じぐらい、ほかの人たちと交流することを楽しんでいることに気がついたのです。

セミナーが終わって数週間が過ぎたころ、ウェインがメールをくれました。セミナーで身につけた「内面から勝つ方法」がうまくいったというのです。

ウェインは、顧客の1人に電話をして「公園でも歩きながら率直に意見交換をしよう」と誘ってみたそうです。高圧的なウェインしか知らないその顧客は「率直な意見交換？　嘘だろ」という反応をしましたが、渋々ウェインに会いにきてくれました。しかし、話し合いの最後には雰囲気ががらりと変わり、「有意義だった。ありがとう」と言って、ウェインに握手を求めて帰っていったというのです。ウェインによると、それまで顧客に握手を求められたことなどなかったそうです。

それまでのウェインの性格は「闘士」という制限されたものでした。「仕事もあり、愛する妻もいる。悪い人生ではない」と感じている一方で、妻がストレスに押しつぶされそうになっているのも感じていました。そこで、ウェインは旅人の精神を使って、小さな一歩を踏み出すことにしたのです。長いあいだ、内面の奥のほうに押し込められていた自分のなかの柔らかい部分を解放してあげたのです。

　トランスフォーマーについて概要を説明してきましたが、次の2部では、再度、ビッグ4について詳しく見ていきます。そして、3部で再びトランスフォーマーの説明に戻ります。

2部　ビッグ４で内面のバランスをとろう

5章

可能性
夢想家の視点で見る

「望む」という感情は、人間の本質の一部です。たとえば、私たちは愛を求め、成功を目指します。景気が回復することを期待します。病気の親戚の快復を祈ります。社会の変革を求めて、立ち上がることもあります。たとえば、1517年、マルチン・ルターはカソリック教会の改革を求めて、1人で宗教革命の運動を始めました。2011年には、中東各地で「アラブの春」と呼ばれる民主化運動が起きました。エジプトのカイロ市では、何千人もの人々が新たな社会を求めて広場に集まりました。

夢想家は夢に向かって自分を鼓舞します。こうした思いが、今まで誰も成し遂げられなかったことを実現する原動力になります。人類はすでに月面着陸を実現しています。そして、今度は火星を歩く日を夢見ています。

テクノロジーの進歩は目覚ましいものがあります。たとえば、インターネット電話「スカイプ」のおかげで、世界中の別の場所にいる人たちが〝顔〟を合わせて会議を開くことができるようになりました。出張中に、子供の新しいヘアスタイルを確認することもできます。こうしたことは、すでに当たり前のことと感じているかもしれません。しかし、少し立ち止まって、どれほどすごいことなのかを考えてみてください。イノベーターたちは、自分の夢を現実にすることで、私たちの日常生活に多大な好影響を与えています。

スカイプは、技術革新の一例でしかありません。シリコンバレーは、若い夢想家たちであふれかえっています。そして、私たちの生活のあらゆる場面——コミュニケーションの仕方や買い物の仕方、音楽の楽しみ方など——に変革をもたらしています。

夢想家はあなたの周囲にたくさんいます。そして、あなたのなかにも存在します。

ここでは、あなたのなかの夢想家がどんなタイプなのか、簡単なテストをしてみましょう。

まず、シナリオを読んでみてください。そして、自分がそのシナリオ内の主人公だったら、その状況にどんな対応をするのかを①〜③から選んでください。

［シナリオ］

あなたは同じ事務所で数年働き、会社に貢献している自信があります。ある日、チームのリーダー役を務めていたマネジャーが、育児休暇から復職せずに会社を辞めることが判明しました。慌てた上司は、あなたにその役職を引き継ぐことを命じました。

あなたはどう考えますか？　どう感じますか？　そして、どのような行動を起こしますか？

対応①

「私には無理」「訓練も経験も足りない」「そんな役職につくと考えただけでストレスを感じる」――こうした意見が、頭のなかを駆け巡ります。自分を抜擢してくれたことに感謝しながらも、上司には「ほかの人のほうが適任」と伝えます。

その結果、同僚の1人がその職を得ました。彼は当初、何回かミスを犯しますが、チームのメンバーは寛容な態度で見守ります。そのうち、リーダー役に慣れてきた彼は、経営戦略に独自色を加えたりするようになります。チーム全体が一丸となって、新しい方向性を楽しむ雰囲気が生まれてきたのです。

そのような様子を見ながら、あなたはつい「もし私があの役職についていたら、どうなっていたのだろうか」と考えてみてしまいます。

対応②

「やっと私にチャンスがきたわ」と考えて、興奮します。チームをよりよい方向に導く自信があります。給料が上がれば、より大きな家を買えると胸算用を始めます。地下にワインセラーを作ることを想像してみたりします。

上司には「イエス」と即答します。

数ヵ月後、チームの業績は上がります。結果を出したことにあなたは満足感を覚えています。一方で、自分がリーダーになってから労働時間が長くなったと同僚たちが文句を言っているのを小耳に挟むようになります。

対応③

「えっ、ほんとう？　私にもできるかしら？」と不安に思いながらも、新たな挑戦に興奮を覚えます。ただ、経験不足であることは否定できません。こうした不安を率直に上司にぶつけることにします。

上司との話し合いでは、新たな戦略を提案する一方で、こうした変更を実行するには上司のサポートが必要になると告げました。今まで予算や部下を管理した経験がないので、指導してほしいとお願いしたのです。

上司はあなたがリーダー役に慣れるまで、支援することを約束してくれました。そこで、あなたはその職につく決意を固めます。

当初はミスを連発します。不評を買う決断をしてしまうこともありました。しかし、間違いはすぐに修正するように心がけたら、同僚はついてきてくれました。新たな戦略も効果を発揮し、年末には特別ボーナスを受け取りました。

あなたの選択はどれでしたか？ ①なら低体温型の夢想家、②なら熱血型の夢想家、③ならバランス型の夢想家ということになります。

低体温型の夢想家には、将来に対して夢がないだけでなく、「やってみよう」という願望すらありません。自分に対する自信が低く、つねに不安につきまとわれているため、本来の夢想家が持つべき大胆さが完全に凍りついてしまっています。

一方で、熱血型の夢想家は、目の前のチャンスに惑わされて、自分やまわりの人たちに限界があるという事実を見失いがちです。自分の野心が先走りすぎて、同僚や部下への配慮が足りません。すべてがうまくいっていると信じ込んでいて、人事考課で他人からの評価を聞いて驚くことになるのが、このタイプです。

自分の能力と限界をきちんと理解しているのが、バランス型の夢想家です。新しいことに挑戦することに興奮したり、将来を夢見たりすることができる一方で、現実問題としてリーダー役は自分の能力を超える役職であることを判断する冷静さも持ち合わせています。１人では成功できないと判断して、事前に上司からのサポートを確保しました。〝勇敢〟に行動を起こし、〝創造力〟で問題を打破し、〝本能〟で自分に与えられた新しい役割には援助が必要と感じることができる——まさにバランスのとれた夢想家の姿です。

あなたのなかの夢想家が低体温型、もしくは熱血型の可能性もあります。しかし、言うまでもなく、あなたの夢想家がバランス型だったときに、あなたの可能性はいちばん広がります。自分のなかの夢想家が低体温型や熱血型であるという結果が出た人は、今後、夢想家から意見を聞くときに、その意見がバランスのとれたものであるのかどうかに注意を払うようにしてみてください。

夢想家の強み

画家パブロ・ピカソは、「誰でも子供時代はアーティストだ。課題は大人になってもアーティストでいられるかどうかだ」と言ったそうです。

夢想家のパワーの源は「直観」で、「創造力」を司っています。バランスのとれた夢想家は、あなたに進むべき「方向」を指示し、「イノベーション」に必要なスキルを提供します。

夢想家の強みを生かすと、あなたは以下のようなことが可能になります。

1　先見性を持つ

2　勇気を持って夢を追う

3　進むべき道を感じる

夢想家は、勇気、創造力、情熱、願望などを内包しています。日常生活で、どう生かしたらいいのでしょうか。

ジョーダンは、私が主催する2日間の「夢想家訓練キャンプ」に参加しました。ジョーダンは、自分の人生を「順風満帆」と見ています。レストランのマネジャーとして働き、2人の子供に恵まれ、近所に住む両親や兄弟とも毎週末ディナーを共にする良好な関係を保っています。唯一の問題といえば、「夢がないことだけだ」というのです。

私のセミナー参加者のなかには、ジョーダンと同じような悩みを語る人がたくさんいます。「ほしいものがわからない」「ほしいものが考えつかない」というのです。こうした発言を聞くと、私にはすぐに彼らにも夢があることがわかります。ただ、夢想家の発言が彼らの耳に届いていないだけなのです。

「どんな未来に興奮しますか」と問うと、彼らは「わからない」と答えます。これは正直な回答です。ですが、夢想家が答えたものではありません。夢想家に向けた質問を、思考家が答えてしまっているのです。ジョーダンのように、何がしたいのか〝考えつかない〟人は、思考家に将来について考えさせるのをやめさせなくてはいけません。代わりに、夢想家に夢について問いかけてほしいのです。

こうした作業の結果、ジョーダンには夢があることがわかりました。自分のレストランを持つことを夢見ていたのです。しかし、この夢に対して、思考家が強く反発していたのです。

「現実味がない」

「お金の無駄だ」

「失敗するだけだ」

はじめの一歩を踏み出すためには、ジョーダンは思考家と交渉し、夢想家と思考家が和解できる案を考え出さなくてはいけません。それでも「夢がない」と勘違いしている状態からは、かなり前進しました。「夢がある」ことが認識されたからです。

思考家と対話を始めると、彼はとくに「レストランを持つ」という計画に反対しているわけではないことがわかりました。ただ、ジョーダンのなかの思考家が、疑り深い性格だっただけなのです。どんな状況でも、疑問を呈するのがジョーダンの思考家の習慣です。

ジョーダンは、今回はじめて、自分のなかの思考家が疑り深い性格であることを知りました。そして、思考家がいちいち疑うのは、ジョーダンを「傷つくような状況から守ろうとしているから」ということを認識できました。

こうした新しい2つの認識を元に、ジョーダンは思考家と夢想家の和解案作りに取りかかりました。まず、夢想家が夢の進捗状況を必ず思考家に報告することを約束し、計画の途中でも思考家の意見が反映されることを確約しました。また、ジョーダンが傷つくようなことは絶対にないと立証することを誓ったのです。

訓練キャンプのあいだに、ジョーダンは思考家と夢想家の和解に成功しました。セミナーを去るときには、ジョーダンは自分のレストランを持つための銀行融資に申し込む準備ができていました。のちに、レストラン「ジョーダンズ・バー・アンド・グリル」のオープニングパーティーへの招待状を彼から受け取ったとき、私の顔が思わずほころんだのは言うまでもありません。

夢想家と思考家を協力させる

ジョーダンが抱える問題は、内部で思考家が夢想家を邪魔していることでした。しかも、思考家は意図的に邪魔しているわけではなくて、彼なりにジョーダンの役に立とうとしていたことがわかりました。思考家と夢想家が対立するという図式は、克服できないものではありません。ビッグ4は、4人仲良く同じ目標に向かって協力できるはずなのです。ただ、あなたは彼らとのうまい交渉術を身につけなくてはなりません。

ドイツで、私はインゲという名前の女性建築家に出会いました。彼女は、自分のなかの夢想家と思考家を協力させることに成功し、ハンブルク市の都市計画責任者として活躍しています。街のデザインを任されると、彼女はまず自分のなかの思考家に相談するそうです。そして、「人口は？」「住宅は何軒必要か？」「駐車場の数は？」といった基本情報を集めます。

経験が浅いころ、彼女はこの基本情報が集まった時点で、すぐにデザイン画の作成に入っていたそうです。しかし、この方法では必要条件は満たしているものの、退屈なデザインしか思いつかず、彼女が手掛ける建物すべてが似たようなデザインになっていました。インゲは、そのころのデザインを振り返り、「建てるのは簡単だけど、住みたいと思うような建築物ではなかった」と表現します。「生命を感じられない、死んだようなデザインだった」というのです。

そこで、インゲは取り組み方を変えることにしました。第一段階では、今までと同じように基本情報を集めますが、その後、夢想家に相談するという過程を加えたのです。思考家にはしばらく黙っていてもらい、「いったん、基本情報をすべて忘れることにした」のです。

夢想家との対話は、インゲにビジョンを与えてくれます。インゲはその過程を私にこんなふうに説明してくれました。

「頭のなかで、その土地をイメージします。はじめは『丘があって、緩やかな下り坂がある』といった大雑把なものです。しかし、そのうちに『ここに緑があったらいいな』とか、『この丘の上に家を建てたらいいな』といった具体的なイメージが浮かんでくるのです」

思考家だけに頼ったデザインと異なり、今度は「人が住みたくなるようなイメージ」を持つことができました。そして、最後に再度、インゲは思考家に相談を持ちかけます。基本情報に照らし合わせて、夢想家の抱くイメージのどこが現実的で、どこが現実的でないのかを見極めるためです。

「基本情報で始まり、基本情報で終わるなら、基本情報だけで仕事をしてもいいのではないか」――私はインゲにこう問いかけました。インゲは、「人が寝て、食べるためだけの場所を提供するなら、基本情報だけで家を建てても問題ないかもしれません。しかし、人が住みたいと感じるような場所は作れません」と答えました。

インゲのケースは、夢想家と思考家を協力させることで最善の結果を導き出すことに成功した例です。夢想家は土地を自由にデザインすることで、創造力をいかんなく発揮しています。一方で、思考家は可能なことと、可能でないことを見極める能力をインゲに与えています。

やる気を出させるリーダーとは

次に、ニックの例を見ていきましょう。ニックは事業統括部長を務めています。年末の人事考課で、ほとんどの項目で高評価を受けましたが、1つだけ「水準に満たない」と判断されたものがありました。「リーダーとして部下や同僚を鼓舞する能力」が足りないと指摘されたのです。この人事考課を受けて、ニックは私のところにアドバイスを受けにきました。ニックとの対話を通じて、私はニックのなかの夢想家が〝死に体〟になっていることが問題だと判断しました。ニックは自分のなかの夢想家を揺り起こして、彼からもっと意見を聞いてあげなくてはいけなかったのです。

ここで、ニックの現状を少し説明しましょう。ニックの会社の経営陣は、今年20パーセントのコスト削減を実現するという事業計画を立てました。もし、この目標を達成できなかったら、社長がニックに対して厳しくあたることが予想されます。そのため、人員削減に難色を示す人事部長に対して、ニックはいらだちを覚えています。心のなかで人事部長に対して、「ほんとうに事業計画を読んだのか？　こいつは何もわかっていない」と思っているので、つい口を開くたびに「会社は競争力を保ち、利益をあげる必要がある。基本的なことだろ？」と、きつくあたってしまっています。これでは、人事部長がやる気を起こしてくれるわけがありません。

私はニックに、「経営陣の事業計画を聞きながら、あなたのなかの夢想家はどんなことを考えていましたか」と聞きました。答えは、「この業界はどこに向かっているのか？　今後、どんなスキルが要求されるようになるのか？」というものでした。次に、この夢想家の意見を反映して、人事部長にどう伝えるべきかを考えてもらいました。

ニックの答えはこうです。「業界全体が過渡期にある。必要な人材も変わってきている。顧客サービスを充実させるためには、スキルの低い従業員中心の布陣から、特殊なスキルを持った従業員が顧客を手厚くもてなす事業モデルに切り替える必要があると思う」

当初の人事部長への対応よりは、ずいぶん進歩したと思いませんか。では、この訓練をもう一歩進めてみましょう。ニックには極端な例を体験してもらうことにします。自分のなかのビッグ4全員が夢想家に乗っ取られたとしたら、どう考えるかを聞いてみることにしたのです。最終的に私たちが目指すのは、ビッグ4全員のバランスがとれた状態です。ですが、ビッグ4のメンバーの誰かが極端に無口な場合、こうした極端な例を想定するのはいい訓練になります。無口な1人に注目を集めることで、彼が意見を言わざるを得なくなるからです。

夢想家に乗っ取られたニックの考えは、「うちの業界では、まだ中国製が主流にはなっていません。でも、そうした時代が確実に来る」というものでした。では、この考えを反映すると、人事部長との対話はどんな感じになるのでしょうか。

人事部長　経営陣の事業計画をどう思う？

ニック　俺なら、5年以内にすべての生産拠点をアジアに移すね。来年には、上海に第一工場を開く。再来年には、研究開発（R&D）拠点を設ける。

人事部長　ちょっと急ぎすぎじゃないか？

ニック　想像力を働かせてみろよ！　未来は中国にあるんだ。今から移住に向けて家族全員で中国語を習おうかな。

確かに、この「夢想家ニック」は少し先走りすぎていますね。ですが、ここで重要なのは、夢想家と人事部長の想定会話を通じてニックのなかの夢想家が解放されたということなのです。あとは、この夢想家を「バランスのとれた夢想家」に向けて調整していけばいいだけです。

こうした訓練を終えたニックは、次から人事部長と有益な会話を持つことができるようになります。

人事部長　経営陣の事業計画をどう思う?

ニック　今後5年間で、生産も研究開発（R＆D）拠点もアジアに移すことになると思う。現在いる人材のなかで、どんな人材を残すべきだと思う?

人事部長　いい質問だ。わが社の問題点は、いい技術者がたくさんいる一方で、管理業務ができる人材が少ないことだ。今のような過渡期には、リーダーシップのある人材が必要だ。

ニック　賛成だね。とくにマーケティングと営業部門では、より強力なリーダーシップが必要だ。こうした新たな人材を迎え入れるために、どこの部署の正社員を削減できるのか、具体的に計画してみてくれないか?

夢に向かって勇敢に突き進む

一夜にして大スターになった――こうしたサクセスストーリーをよく耳にします。こうした話の大半は、掘り下げてみると、成功は一夜で成し遂げられたものではなく、長期にわたる努力の結果であることがよくわかります。失敗したり、反対されたり、障害が立ちはだかったりしても、自分の夢を信じつづけることが、夢に向かって勇敢に突き進むための第一歩になります。

作家J・K・ローリングの人生がまさにいい例です。彼女が手掛けた小説『ハリー・ポッター』シリーズは、世界で4億冊以上売れました。今では「史上最も売れた作家」として知られる人物です。しかし、はじめから順調だったわけではありません。1作目は、出版社12社から出版を断られています。それでも、彼女はあきらめずに自分の作品の価値を信じつづけました。当時の生活を、彼女は「貧困状態でホームレス寸前だった」と振り返っています。それでも、彼女は夢をあきらめなかったのです。

人生で偉大なことを成し遂げるには、「夢を描く」以上の努力が求められます。「何がほしいのか」を理解したり、そのほしいものを「追いかけ」たりするだけでは不十分なのです。どんな障害が立ちはだかっても、ほしいという気持ちを持続させて、追いつづける勇気が必要となります。

生まれつき「偉大な人」はいない

現代シオニズム運動のリーダー、セオドア・ヘルツルの有名な言葉に「願ったら、もうそれは夢ではない」というものがあります。「何がほしいのかがわかったら、自分はどんなことでも実現できる人間だと信じろ」というのが、この言葉のメッセージです。

いったん、偉業を成し遂げると、その人物は「あの有名な経済学者」とか、「あの法律を定めた偉大な女性」などと呼ばれるようになります。しかし、こうした人たちも、有名になる前は普通の人だったことを忘れてはいけません。私やあなたと変わらない普通の人です。

サルマン・カーンの例を見てみましょう。彼は「カーン・アカデミー」という教育サイトを設立し、インターネットを通じて無料でハイレベルの教育を世界中に届ける仕組みを作りました。今では世界的に教育界の革命児として知られる人物です。しかし、サルマンははじめから大きな目標を持って生きてきたわけではありません。

きっかけは、従弟に数学を教えはじめたことです。サルマンは、別の街に住む従弟にわかりやすく数学を教えるために、動画共有サイト「ＹｏｕＴｕｂｅ」を使うことにしたのです。この方法がとてもうまくいったことを契機に、サルマンはネットを使った「無料の国際大学」の設立を夢見るようになるのです。

カーン・アカデミーは現在、数千クラスを提供しており、累計の再生回数は3億4000万回を超えています。サルマンは当初、このように大きな組織を率いることは想定していませんでした。ただ従弟の宿題を助けてあげようと思っただけなのです。でも何かがはじけて、物事が回りはじめたときに、夢を大きく持つことを拒みませんでした。ＹｏｕＴｕｂｅに掲載したビデオに対する反響が大きくなっていくのといっしょに、サルマンの夢も大きくなっていきました。突然の変化に驚きながらも、自分のビジョンが成長していくのを楽しんだのです。

サルマンの例を見ると、大きな夢というのが一部の特殊な人たちだけのものではないことがわかりますね。あなたのなかにも革新的な夢想家が必ずいるはずです。

直観を信じてみよう

ジェーン・グドールという有名なチンパンジー研究家がいます。彼女は若いうちにタンザニアに渡り、動物学者としての教育や訓練を受けないまま、チンパンジーとの交流を始めてしまいました。そのため、彼女の研究方法はかなり型破りなものとなったのです。

動物学者は客観性を持たせるために対象となる動物に番号をつけますが、彼女はそのような学界の常識を知りません。代わりに、直観的にチンパンジーに名前をつけたのです。結果として、彼女は一匹一匹にそれぞれ異なった性格や社会性が備わっていることを発見しました。こうした事実は、当時、まだ知られていませんでした。

当時の学界には、彼女の手法を「感情移入しすぎ」と批判する意見もありました。しかし、彼女が常識にとらわれなかったから、すばらしい発見ができたというのは否定しがたい事実です。彼女が自分の直観に従って調査をしていなかったら、私たちは今でもチンパンジーに人類に似た行動パターンがあることを知らないままでした。ジェーンは自分の直観に従ったからこそ、チンパンジーのなかに人間性を発見することができたのです。

のちに、ジェーンは英国ケンブリッジ大学に入り、博士号を取得します。しかし、その後も、彼女は自分の直観を信じる研究方法を貫きます。自分のなかにある動物愛を大切にしたのです。学界の常識を身につけた後も、ジェーンがほかの学者とは違った活躍ができたのは、こうした直観を信じる姿勢を貫いたおかげです。

では、直観とはなんなのでしょうか。学者によって、いろいろな表現がされています。たとえば、直観を「静かな知識」と呼ぶ人がいます。静かな知識とは、人間が論理に行きつく前にすでに知っていることで、理屈で理解する前から存在する知識のことです。同分野の研究の先駆者であるジェローム・ブルーナーは、直観とは「分析過程を経ないが、有効な思考回路のことで、導き出される答えは正しいことも、正しくないこともある」と述べています。長々とした説明でわかりづらいですが、ブルーナーが知的な思考には「分析と直観の両方が必要である」と指摘しているのは興味深いことです。

通常、私たちが「直観とは何か」を理解できるのは、それを感じたときだと思っています。私の例をお話ししましょう。

私の母は脳溢血で亡くなりました。脳内で大量に出血し、倒れてからわずか48時間であの世に旅立ってしまいました。不幸中の幸いと言えるのは、彼女が亡くなる前に私は病院に到着することができて、亡くなるまでベッドの横でいっしょに時間を過ごすことができたことです。

病院に到着すると、看護師は私に「あなたのお母様は、大部分の脳の働きを失った状態にあります。2歳ぐらいの理解レベルだと思ってください」と、病状を説明しました。そして、「脳のなかで言葉を理解する部分が、完全に破壊されてしまいました。ですから、話しかけても、きっとお母様は理解できないと思います」と付け加えたのです。

私はベッドの脇に座り、母の手をなでながら、語りかけていました。看護師が説明した事実は理解できましたが、どうしても母に愛を伝えたかったからです。知らず知らずのうちに、私は母から教わったユダヤ教の歌を口ずさんでいました。子供のころ、毎週金曜日の夜に安息日のディナーで歌っていた曲です。

すると、母の目から涙が流れ、頬を伝っていったのです。彼女の脳は2歳児レベルかもしれませんが、私は母の存在を強く感じることができました。彼女はまだ完全には壊れていないと確信したのです。母は私の声を聞き、私がそこにいることをわかってくれたのです。

直後に看護師が病室に入ってきました。そして、「きっと涙管にごみでも入ったのね。意味はないわ」と言いました。私は突然我に返り、母が私を認識してくれたという確信を疑い、不安になりました。

母の涙のほんとうの意味は、誰にも説明できません。ここでは、実際に「なぜ涙が流れたのか」という医学的な説明は重要ではないのです。大切なのは、植物状態にあると思っていた母と、私が交流できたと感じたことです。

こういう状況では、私は理屈よりも自分の直観を信じることにしています。感じただけで、説明はできませんが、それでいいのです。私の直観が間違っていたとしても、損害を被る人はいません。こうした状況は私生活の場面にとどまりません。職場でも、直観が役立つ場面はたくさんあります。「理屈では説明できないけど、なぜかわかる」というのは、人間に備わった偉大な能力です。ぜひ、有効活用してみてください。

［夢想家の復習テスト］

- 夢想家の強みをあなたのなかで簡単に感じることができますか？　それとも、自分のなかで夢想家を活躍させるのは難しいですか？
- 「創造性」「勇敢さ」「想像力」「情熱」「希望」といった特徴と、自分を結びつけることはできますか？
- 夢想家が司《つかさど》る「直観」をどう生かしますか？
- どんなときに自分のなかの夢想家を解放し、〝大きな夢〟を追わせますか？　一方で、夢想家の活動を制限するのは、どんなときですか？　また、こうした体験から何を学びましたか？
- 最近のあなたの夢想家は、何をしたがっていますか？　あなたのため、家族のため、会社のため、世界のため、といろいろな夢があると思います。夢想家の想像力を最大限に使うと、どんなビジョンが見えてきますか？
- あなたの夢想家は「低体温型」「熱血型」「バランス型」のどれですか？　ビッグ4のなかで、目立つほうですか？　それとも、控えめなほうですか？
- あなたのなかのビッグ4会議で、夢想家が会議を仕切るとどうなりますか？　夢想家が参加しなかったらどうなりますか？
- ビッグ4全員のバランスをよくするためには、夢想家としてどんな努力が必要ですか？

6章
客観性
思考家の見識を理解する

私たちはまず、ビッグ4のなかの夢想家を知ることから始めました。夢想家はあなたにほしいものを指し示し、そのほしいものを手に入れるために必要な行動を起こす勇気を与えてくれます。次に、ほしいものが明確になったあなたに必要なのは、思考家による分析力です。

この順番で取り上げるのには、理由があります。なぜなら、思考家による分析がないまま、夢想家の指示に従ってビジョンを追っても、そのビジョンはいっこうに実現しないからです。

私は主催するセミナーで不動産ブローカーと出会ったことがあります。そのブローカーは家を売りたい顧客が彼のアドバイスに聞く耳を持たないことを不満に思っていました。顧客は「100万ドルで売りたい」とだけ言ってくるそうです。「市場の平均価格より高いから下げたほうがいい」というアドバイスに従わないので、家はなかなか買い手がつきません。すると、今度は「買い手がつかないのは、君の腕が悪い」と苦情を言ってくるというのです。まさに、この家を売りたい顧客のケースが、「思考家の分析なしに、夢想家の夢を追っても永遠に実現しない」例です。

思考家は情報とアイデアがお好き

20世紀前半に活躍した経済学者にジョン・メイナード・ケインズという人物がいます。彼は、「有効需要の原理」にもとづき、「市場メカニズムだけではじゅうぶんな有効需要は生み出せず、有効需要が不足すると失業者が増える」という理論を唱えました。ケインズの考え方は、現在でも経済学の分野で強い影響力を持ち、彼の考え方を継承する人たちは「ケインズ学派」と呼ばれています。

ケインズのように、思考家は情報を集めて、集めた情報を分析して理論を生み出すという作業をします。点と点でしかなかった情報をつなげて、その仕組みや関係性を説明するのです。「需要と供給」「摂食障害」「自閉症」など、人は名前がついてはじめてその問題を理解することができます。問題を認識して、話題にして、解決に向けて取り組むことができるのです。

思考家が研究を通じて問題を明確にできなかったら、世の中は理解不能な名無しの現象であふれてしまいます。現象を正しく認識できないと、人は対応を間違うか、まったく対応できないかのどちらかの状況に陥ってしまいます。たとえば、自分の子供が「学習症」や「ＡＤＨＤ（注意欠如・多動症)」を患っていることを知らずに、厳しく叱ってしまったことを後悔している親は世の中にたくさんいます。

思考家は会社組織ではCFOにあたると説明しましたが、政府組織にたとえると政策立案者にあたると思います。思考家は規則や条例を定めて、社会に進むべき方向を示します。アフリカで飢餓を減らすにはどうしたらいいのか、テロ行為を減らすにはどうしたらいいのか、雇用を創出して景気を回復させるにはどうしたらいいのか、内戦を止めるにはどうしたらいいのか――。こうした難しい課題に取り組むには、「問題を明確化する」「組織的に考える」「仮説を当てはめる」「統計学的に分析する」といった複数の能力が必要となります。幸運なことに、思考家はこうした作業がとても得意です。

日常生活でも、思考家が役立つ場面はたくさんあります。部下を評価する、子供が進学する学校を決める、確定申告をする、近隣で一番優秀な外科医を探す――。あなたのなかの思考家は出番を待っています。

夢想家の場合と同様、あなたのなかの思考家の特性を知るために簡単なテストをしてみましょう。まずはシナリオを読んでみてください。そして、自分がそのシナリオ内の主人公だったら、その状況にどう対応をするのかを①～③から選んでください。

［シナリオ］

戦略会議に出席しています。参加者はそれぞれ、前回の会議で発表した経営計画をどう改善したのかについて詳しく説明しています。

プレゼン時間は１人20分。あなたは発表する数値に間違いがないように徹夜で準備をして会議に臨みました。

プレゼン開始から数分のところで、突然、あなたのプレゼンに誰かが割り込んできました。「数値が間違っている」というのです。

「え、なんですか?」と、あなたは問い返します。

「間違っているものは間違っている」。その人は繰り返し言いました。

こうした場面で、あなたはどう思いますか?　どう感じますか?　なんと反論しますか?

対応①

突然の邪魔にあなたは混乱してしまいます。

急に自分の発表内容に自信がなくなってしまいました。昨夜は完璧に準備したつもりでいましたが、今になってみると、前提とした仮説自体が間違っていたような気がします。仮説が間違っていたとしたら、数値が違うのは当然です。

額に汗がにじみます。「すみません、もう一回、計算し直してみます」と言うと、自分の席に戻ることにしました。敗北感でいっぱいになります。

対応②

「よく聞こえなかったんだけど、数値が間違っているというのか?」と聞き返します。自分の発表に異論を唱える人がいるとは信じられません。冗談ではないかと感じています。数値には絶対的な自信があるからです。

イライラを抑えながら、あなたはこう言います。「この数値は間違っていません。ですが、計算をやり直したいなら勝手にどうぞ」

10分ほどこうしたやりとりが続きましたが、あなたは自分の数値への自信を失うことはありませんでした。

対応③

あなたは突然の指摘に驚きます。計算は何度もやり直したので間違いはない、と信じています。しかし、人間は間違う生き物です。何事にも絶対ということはありません。

「どこが間違っているとおっしゃるのですか?」と、聞き直します。指摘をきちんと理解して、彼の批判に賛成できるかどうかを見極めるためです。守勢に立たされているようでいい気分はしませんが、計算し直すことに賛成しました。

「次回までにあなたの指摘を再検討して、私の案に反映させるべきかどうかを判断します。結論がどうなるかはわかりません。しかし、現時点で、私の発表内容が有効であるという事実に変わりはありません」。あなたは最後にこう述べて、プレゼンを締めくくりました。

あなたの選択はどれでしたか。あなたのなかの思考家は、①なら低体温型、②なら熱血型、③ならバランス型ということになります。

①の低体温型は、自分に自信がなさすぎます。そのため、他人の指摘にすぐに惑わされてしまいます。一方で、②の熱血型は、自信過剰です。相手に「あんたはバカか。計算し直してみろ」とけんか腰で言い放ってしまいそうな勢いです。「自分に自信がある」という点では①のケースよりもましですが、傲慢《ごうまん》な姿勢は対人関係に障害をもたらす可能性があります。たとえば、万が一、数値の間違いがあなたの計算違いだったらどうなるでしょうか。次回から誰もあなたの意見に耳を傾けなくなってしまいます。

③のバランス型は、反論相手を叩かないまま、自分を信じるという姿勢を保つことに成功しています。自分に対する自信をきちんと維持しながらも、独りよがりに陥ってはいません。知性が忍耐や謙虚さといっしょに表現された最善のケースです。

思考家の強み

ネイティブアメリカンのラコタ族の教えに、このようなものがあります。「質問に慌てて答えてはいけない。どんなに重要な質問でも同じだ。答えを強要されるようなこともあってはならない。少し立ち止まって考える時間を与えることが、友好的な対話をもたらす」というのです。

思考家のパワーの源は「理由・理由」で、「物事を明確にする能力」に優れています。バランス型の思考家は、物事を「分析」するときに必要な「考察力」を提供してくれます。

思考家の強みを生かすと、あなたは以下のようなことが可能になります。

1 事実と論理を活用する
2 結果を見越す
3 物事を多面的に判断する

思考家にはほかにも、「思慮深さ」「謙虚さ」「好奇心」「辛抱強さ」といった特徴が備わっています。実社会でどう役立つのかについて、具体的に見ていきましょう。

ここでは、私の開催する夏期セミナーに参加した女性の例を紹介します。ケイトは結婚生活に終止符を打つ決意をしたばかりでした。夫が彼女をまったく理解しないことが原因だというのです。彼女に普段の夫婦の会話を再現してもらいました。

妻 もうがまんできないわ。
夫 何がかまんできないというんだ？
妻 いつもけんかばかり。怒鳴りつけて、いつも私をバカ扱いしている。
夫 私は君が買ってきたシャツが気に入らなかったから、返品してくるように頼んだだけだ。値段も高すぎる。これにいくら払ったんだって？
妻 もう耐えられない。私はバカじゃないわ。
夫 君がバカだなんて一言も言っていないじゃないか。ただ、このシャツを気に入らなかったと言っているだけだ。

ケイトは、夫に対してきちんと「幸せではない」と意思表示しているのに、夫がいっこうに理解しないと、私に訴えてきました。正直な話、この会話では私にもなぜ彼女が不満なのかが、まったく理解できません。彼女が不満に感じていることはわかりますが、その理由がわからないのです。夫のどんな態度に対して「いつもバカ扱いされている」と感じているのかが不明瞭なままです。こういう状況こそ、思考家が必要な場面です。

現在、ケイトのなかのビッグ4会議では、恋人が主導権を握っています。恋人は、「愛していれば、説明なんかしなくても夫は私を理解できるはず」と言い張ります。ロマンチックな考え方ですが、ほとんどの人間関係で「説明」は不可欠です。彼女のなかの恋人は、思考家が理由を説明しはじめただけで失望してしまうかもしれません。しかし、このままでは彼女は永遠に理解されずに終わってしまいます。パフォーマンス・ギャップを埋めるためには、思考家に登場願うしかありません。彼女がほんとうに望んでいるのは、離婚ではなく、夫に自分を理解してもらうことなのです。

そこで私は、ケイトのなかの思考家に、直接、夫への不満を説明してもらうことにしました。恋人には少し席をはずしておいてもらいます。すると、答えはこのような感じになりました。

ケイトのなかの思考家

「先日、いっしょにデパートに行ったときの話です。私は、ほしいコーヒーポットを手に取りました。すると、あなたは無言でそのポットを棚に戻し、別のコーヒーポットを持ってきたのです。そして、私が選んだブランドの製品がなぜダメなのかを長々と説明しはじめました。私がそのポットを選んだのは特売品で、しかも私にとってはじゅうぶんな品質だと判断したからです。それなのに、そうした理由を一言も聞かずに、別の製品を持ってくるとは、私のことをほんとうにバカだと思っているのだと感じました」

これなら、ケイトの夫もじゅうぶんに何が問題なのかを理解できます。ケイトのなかの思考家は、具体例を挙げ、情報を提供し、夫の記憶に訴えることに成功しました。もちろん、夫に反論される可能性はあります。ケイトの解釈に反対してくるかもしれません。それでも、対話が成り立っているだけ、当初の言い争いからは大きく進展しています。

ケイトの例では、内に秘める思考家を解放し、事実と論理を取り入れることが大きな役に立ちました。ただ、思考家があまり熱血型になりすぎるのも危険です。理屈に走りすぎると、人生のなかのさまざまな輝きや驚きを見失ってしまう可能性があるからです。人生のすべてが理屈や統計で説明できるわけではありません。すべてを理屈で説明しようとすると、まわりの人はあなたのことを「冷たい」と感じるようになってしまうでしょう。

ビッグ4全体が思考家に乗っ取られると、正しい答えは導き出せても、質問の意図を取り違える危険性があります。4人のなかで、思考家に真っ先に意見を聞くというのは悪い方法ではないかもしれません。しかし、ほかの3人の意見にも必ず耳を傾けてください。事実と論理だけでは説明できない要素も人間には重要だからです。何事もバランスが大切なのです。

結果を見越す

ツール・ド・フランスで7連覇を果たしたサイクリスト、ランス・アームストロングを覚えていますか。がんを克服し競技に復帰した英雄として知られた人物ですが、のちにドーピング問題が発覚し、1998年以降のすべてのタイトルを剝奪《はくだつ》されてしまいました。彼は、自分の所業は永遠に発覚しないと思っていたのでしょうか？

クリントン政権下で財務長官を務めたラリー・サマーズの場合はどうでしょうか。ハーバード大学学長当時、科学やエンジニアの分野で女性が生物学的に劣っている可能性を示唆する発言をして、論争を巻き起こしました。しかも、サマーズはこの発言を科学やエンジニアの分野での女性の進出を論議するシンポジウムのなかで行ったのです。自分の発言が、のちにどれほどの反感を呼ぶのか、予測できなかったのでしょうか？

選挙活動中に愛人とのあいだに子供を作った民主党大統領選の候補者、ジョン・エドワーズという人もいました。永遠に秘密にしていられると思ったのでしょうか？

こうした話を聞くたびに、「彼らは一体何を考えていたんだ？」と不思議に思いますよね。しかし、考えていたはずの思考家はすっかり箱のなかにしまわれて、その声が表面に届くことはありませんでした。理屈の代わりに、彼らは「衝動」「欲望」「中毒」などと呼ばれるたぐいのものに従ったのです。バランス型思考家の判断に従わなかったことは確かです。

こうした非合理な行動は、有名人や犯罪者だけがするものと思いたいですが、そうではありません。普通の人も、つねに非合理な行動をとっています。ただ、それがニュースになることがないだけです。

非合理な行動をとらず、失敗を犯さないようにするにはどうしたらいいのでしょうか。自分のなかの思考家を活躍させればいいのです。行動をとる前に少し立ち止まって、その行動がもたらす結果について考えるようにしてみてください。水晶玉をのぞくように未来を予測することはできませんが、経験を生かして推測することはできます。後先を考えずに行動したことを後悔した経験は誰にでもあると思います。これからは、思考家に結果を見越してもらう習慣をつけるようにしましょう。

思考家が弱いと闘士が出しゃばる

レイチェルは、州の健康管理センターで働いていますが、上司のブラムが担当分野でない仕事を押しつけてくることに悩んでいます。州政府が子供のいじめ対策に新たな予算を組んだことを受けて、ブラムは健康管理センターもいじめ対策のプロジェクトを立ち上げるべきだと考えています。

しかし、青少年課のポジションは空席のままで、担当できる人材がいません。新しい人を雇う時間のないブラムは、レイチェルの席に毎日やってきて、いじめ対策も担当するように説得しています。

レイチェルとブラムの会話を見てみましょう。

ブラム いじめ対策のプロジェクトの提案書に目を通しておくように。
レイチェル 状況は何度も説明したと思います。現在、私は自分の担当分野だけで手一杯です。
ブラム 提案書に目を通すぐらいの時間はあるだろう。俺は今、肉体的ないじめだけでなく、ネットを使った陰湿ないじめについての対策が必要だと思っている。
レイチェル 何度も、私の仕事量については話し合ったと思います。新たな分野に手を広げる余裕はありません。青少年課で新しい人を雇うべきです。
ブラム 州が新たな予算を組んだこのチャンスを逃すのはもったいなさすぎる。もちろん、君も同意見だろ。
レイチェル なんと言っていいのかわかりません。ほんとうに時間がないのです。
ブラム とにかく、提案書に目を通しておくように。俺の机の上に置いてあるから。

ブラムが勝ち誇った様子で去っていく姿が目に浮かびます。ブラムは自分の希望を部下に伝え、一歩も引き下がりませんでした。上司がよく犯す過ちですが、闘士を前面に出して指示すれば、部下が希望通りに動くと考えるのは大きな間違いです。この会話の後に、レイチェルが喜び勇んで、ブラムの机の上から提案書の束を持ち帰ると思いますか？ ブラムは、このやりとりから何も得ていないのです。

現在、ブラムの思考家はきちんと機能していない状態にあります。無理矢理押しつけられたことで、レイチェルがどう感じるのか、次にどんな行動に出るのか、といったことを予測することを怠っています。バランス型の思考家を登場させて、闘士に対抗させる必要があります。

では、バランス型の思考家に、レイチェルの次の行動を予想してもらってみましょう。

1　提案書をブラムの机に取りにいく。熟読する時間はないので、パラパラとページだけめくる。ブラムに「いい提案はありませんでした」とメールで返答をする。

2　提案書を取りにいく。目を通す時間がないので、そのまま自分の机の上で眠ったままになる。

3　時間がないので、自宅で読もうと持ち帰る。途中で、地下鉄に置き忘れる。

どのシナリオもブラムの望む結果ではありません。ブラムが自分の望む結果を得るためには、もっときちんと部下と向き合う必要があります。レイチェルと彼女の仕事内容について、再度話し合わなくてはいけません。そして、現在抱えている仕事と、新しいいじめ対策のどちらを優先すべきかをいっしょに見極めていくのです。バランス型の思考家を有効活用すれば、こうした選択ができるようになります。

多面的に判断する

ブラムのケースは、思考家が低体温型で機能していない例でした。では、次に思考家が熱血型で問題に陥る例を見ていきましょう。思考家が熱血すぎると、思考家が持つ強みの1つである「物事を多面的に判断する」という能力が発揮されにくくなります。

これはとても頭がよく、知的な人に多いケースです。知的レベルが高く、情報処理スピードがとても速く、難しい決断もすぐにできてしまうような人が陥りやすいのが、「傲慢」という罠です。頭のいい人にかぎって、「自分は絶対に正しい」と過信してしまいがちなのです。私はこの分野の専門家として、こうした傾向の人を見かけると「トラブルに陥るな」とすぐにわかります。でも、超熱血型の思考家の人たちには、こうした結末が見えないようです。頭がいいからこそ、自分のことがよく見えないという皮肉な結果になってしまっています。

ここで、ドイツ人のカールのケースを紹介します。カールは、自分が勤める会社のCEOが長年大事にしてきたクライアントと意見が合わずにもめていました。クライアントは、カールが自分たちの意見に耳を貸さないことを不満に思っています。一方で、カールは、自分の正しい提案に変更を要請してくるクライアントのほうが間違っていると主張します。このもめ事を聞きつけたCEOは、カールの解雇を検討しはじめました。

私はカールに、「自分が間違っている可能性はないのですか」と聞きました。カールは「ない」とだけ答えます。そこで、私は続けて、「クライアントの提案のなかで1つでも考慮に値するものはありませんか」とたずねてみました。

カールの答えはこうです。

「聞きたまえ。私はこの分野で博士号を2つ持った専門家だ。本も出版している。この分野で私が知らないことなど、何一つない。わからないのは、どうやったらクライアントに自分たちの提案が間違っているということを認識させられるか、ということだ」

私は当時、ここまで超熱血型の思考家をどう指導したらいいのか、まだ知りませんでした。もしかしたら、カールの主張は正しかったのかもしれません。しかし、ここでは「正しさ」は問題ではありません。結局、カールは解雇されてしまいました。カールは仕事を失い、クライアントはカールの指摘を有効活用できず、ＣＥＯはカールという優秀な人材を1人失いました。この状況で、得した人は誰もいないのです。

思考家は謙虚さを忘れずに

米銀大手ＪＰモルガン・チェースのＣＥＯ、ジェイミー・ダイモンの場合を見ていきましょう。２００８年の金融危機直後、銀行に対する規制を厳しくしようという気運が高まりました。金融機関による放漫な融資活動が、世界中を不景気に陥れるような事態を招いたのですから、当然のことです。規制作りの牽引役を果たしたのが、米連邦準備理事会の元議長ポール・ボルカーで、こうした規制は通称「ボルカー・ルール」と呼ばれるようになりました。

ダイモンはボルカー・ルールの導入に反対し、首都ワシントンDCで大々的にロビー活動を展開しました。メディアのインタビューにもたびたび登場し、「ボルカーは市場原理を理解していない」と、傲慢な態度で語ったのです。しかし、その後、JPモルガンがデリバティブ（金融派生商品）取引で20億ドルに及ぶ巨額損失を計上していたことが発覚します。世間に対して自分の銀行ではこうした事態は起きないと大見得を切ったにもかかわらず、実際には起きてしまったのです。ダイモンはのちに全国放送のテレビ番組のなかで「私は間違っていました」と謝罪する破目になります。

熱血型の思考家は、謙虚さを忘れるということがよくあります。つい、ほかの人よりも自分は優れているような気分に陥ってしまうのです。世の中の大半の人が「同じ過ちを繰り返さないためには銀行に対する規制強化が必要だ」とわかっていたにもかかわらず、ダイモンほどの賢い人がその事実を認識できずにいたのです。バランス型の思考家は、「知的であること」と「謙虚であること」を両立できます。自分の意見に自信があっても、他人の意見にも耳を傾けることができるのです。

京セラの創業者、稲盛和夫がハーバード大学で講演をしたことがあります。彼が貫いてきた経営理念は、つねに「人間として何が正しいか」を判断基準にするということだそうです。のちに破綻した日本航空（ＪＡＬ）の経営再建を任された稲盛は、２０１３年に行った英国大使館での講演でこう語っています。

「ＪＡＬの経営陣は、いい大学を出た頭のいい人材ばかりでした。ですから、当初は『謙虚になれ』『努力を続けろ』といった基本的なことを学ぶことに抵抗があったようです。そこで、私は彼らにこう言いました。こうした基本的なことを子供っぽいと無下に扱ってはいけない。頭でわかっていても、実行できていないこともある。人間として正しいことをするという基本ができていなかったから、ＪＡＬは破綻してしまったのです」

ビッグ４はチームとして活動します。思考家は、ほかの３人といっしょに活動してこそ、バランスのとれた活躍ができます。思考家が「謙虚さ」を忘れないように、みんなで見守ってあげる必要があります。とくに、恋人と思考家は対立することが多いようです。感情を大切にする恋人と、合理性を優先する思考家は、対極の存在といえるでしょう。だからこそ、両方の視点が必要なのです。どちらの主張も取り入れて、バランスのとれた行動をとるようにしましょう。

［思考家の復習テスト］

・思考家の強みをあなたのなかで簡単に感じることができますか？　それとも、自分のなかで思考家を活躍させるのは難しいですか？
・「思慮深さ」「謙虚さ」「好奇心」「辛抱強さ」といった特徴と、自分を結びつけることはできますか？
・思考家が得意とする「合理性」をどう生かしますか？
・実際に行動を起こす前に、思考家に先を見越してもらっていますか？　その意見にどのぐらい従っていますか？　たまに、思考家のアドバイスを無視して行動を起こすことがありますか？　それはどんなときですか？　また、そうした体験から何を学びましたか？
・最近、思考家が頻繁に主張する信念や意見はどのようなものですか？　代替案はありますか？　どんな情報や分析があれば、思考家の主張に反対できますか？
・あなたの思考家は「低体温型」「熱血型」「バランス型」のどれですか？　ビッグ４のなかで、目立つほうですか？　それとも、控えめなほうですか？
・あなたのなかのビッグ４会議で、思考家が会議を仕切るとどうなりますか？　一方で、思考家が参加しないとどうなりますか？
・ビッグ４全員のバランスをよくするために、思考家としてどんな努力が必要ですか？

7章

人間関係
恋人の心を感じる

夢想家が夢に浸り、思考家がアイデアを分析するように、恋人は人間関係に価値を置きます。恋人はあなたのなかの感情を司り、あなたと他人をつなげる役割を果たしています。あなたが家族のなかでいつも家族旅行を企画する役を買って出たり、誰かが病気になったときにみんなに知らせる役割を果たしたりするタイプだとしたら、あなたは自分のなかの恋人を大活躍させているということになります。

恋人の特徴は、「面倒を見よう」「貢献しよう」といった衝動です。飼い犬が病気の場合、職場を少しでも早く抜け出して自宅に帰りたいと思いますよね。「少しでも環境破壊を減らそうと、地元産のオーガニック野菜を買うようにしている」「募金を呼びかけているのを見ると、つい募金してしまう」といった行動も、すべてあなたのなかの恋人が導いたものです。

恋人と聞くと、真っ先に恋愛感情を思い浮かべる人が多いと思います。恋愛感情がもたらす愛情は、人間関係のなかでとても大切なものです。ですが、愛情は恋愛以外のところでも発揮されます。友情もその一例です。トム・ソーヤーとハックルベリー・フィン、ドン・キホーテとサンチョ・パンサ、シャーロック・ホームズとドクター・ワトソン。文学作品でも、友情を描いたものはたくさんあります。

友人、親、兄弟、先生、コーチ、メンター、アドバイザー、献血や臓器のドナー（提供者）、ボランティアなどとして、人間はあらゆる場面で愛情を提供しています。例を挙げればきりがありません。こうした私的な場面だけでなく、公的な場面でも愛は活躍しています。たとえば、社会的弱者のために財団を立ち上げて、人生を人道的活動に捧げる人がいます。社員が働きやすい会社を作ろうとする経営者もいます。

政治の世界も、愛と無縁ではありません。危機の際には、政治家は自分のなかの恋人を活躍させる必要があります。超大型ハリケーン「サンディ」で大きな被害を受けたニュージャージー州のクリス・クリスティー知事は、被災地を訪れて無数の被災者と肩を抱き合いました。クリスティー知事が自らの心を開いて、被災者と向き合ったために、被災者たちは孤立無援ではないことを実感することができたのです。２００１年の米国同時多発テロ直後のニューヨーク市長（当時）、ルディ・ジュリアーニも似たような状況を経験しています。現場の悲惨な様子に傷つき、その心の傷を隠さずに市民と共有したことで、痛みを分かち合うことができたのです。

恋人は、つねに他人に興味を持っています。もしあなたのなかの恋人が活発だったら、友人や知り合いがたくさんいるはずです。親しくなるには、自分の弱みを見せることも大切だと理解しています。あなたは愛を与えるのも、受け取るのも上手です。

では、あなたのなかの恋人のタイプを探るテストを行いましょう。

［シナリオ］

あなたは、会社でイベント企画室に勤務しています。社内向けにイベントを企画して、社員の交流を促すのが仕事です。1年に1回、リゾート地で開く年次イベントには全米から社員が参加します。太陽の下でめったに会えない社員と交流できる機会を、みんなが楽しみにしています。

しかし、昨年から続く不景気のせいで、会社の業績が芳《かんば》しくありません。経営陣は今年、年次イベントを縮小することを決めました。通常は各地域から代表20名が参加できますが、今年は5名に絞ることになりました。経営陣は、参加できなくなった15名に事情を説明する役割を、あなたが行うようにと命令してきました。あなたは了解しました。

あなたはどう感じていますか？　どう行動しますか？　何を考えていますか？

対応①

あなたはおもむろに携帯電話を取り出します。ショートメール機能を使って、「不景気につき、今年、あなたはイベントに参加できなくなりました」という文章を書き上げました。そして、参加できなくなった15名にこのメッセージを送信しました。送信ボタンを押す際、とくに何も感じませんでした。

対応②

気持ちが落ち込んでいます。彼らが、年次イベントへの参加をとても楽しみにしていることを知っているからです。「君は年次イベントに行けない」と通告することは、「君はうちの会社にとって重要ではない」と伝えることと、同じように感じられます。

そこで、あなたは特別パーティーを開くことにしました。「年次イベントに行けない」と伝える代わりに、「あなたは今年、特別パーティーに招待されました」ということにしたのです。場所はあなたの自宅で、これから招待状を作ります。

対応③

社員が年次イベントを目標にがんばってきたことを考えると、イベントの縮小を通告するのは辛い仕事です。メールを書きはじめた途端に15人の顔が浮かびます。メールで済ませるのは、ちょっと冷たすぎるように感じたので、別の方法をとることにしました。

毎週行っている定例会議の場で伝えることにしました。いつもはとくに何も設定しませんが、今回は特別にアシスタントに頼んでコーヒーとクッキーを準備させました。年次イベントに行けないという悪いニュースを伝えたことに対するお詫びの気持ちを表すためです。

あなたが対応①を選んだら、あなたのなかの恋人は低体温型、②を選んだら熱血型、③を選んだらバランス型ということになります。

低体温型のあなたにとって、悪いニュースを伝えるという役割は、さほど大きな意味を持ちません。いろいろある業務の1つにすぎず、心を痛めることもありません。一方で、熱血型の対応は行きすぎです。社員を傷つけたくないという思いやりは悪いものではありませんが、自宅でパーティーを開くというアイデアは賢明とはいえません。仕事とプライベートの線引きが曖昧《あいまい》になってしまっています。年次イベントの経費を削減しようとしている状況で、自宅でのパーティーに会社からの資金援助があるとは思えません。計画に冷静さを欠いているようです。

バランス型は、多くの社員にとって年次イベントが重要な意味を持ち、参加できないという決定の伝達に、電子メールはふさわしくないという正しい判断ができています。きちんと面と向かって伝える勇気も持っています。しかし、熱血型のような過剰なお詫び方法を考えたりはしません。無味乾燥になりがちな定例会議に、コーヒーとクッキーを準備することで社員をもてなしたのです。社員は年次イベント縮小のニュースに失望しながらも、あなたの誠意には理解を示してくれるはずです。

恋人のパワーの源は「感情」で、人を「思いやる心」が活力となります。バランス型の恋人は、あなたに他人と「つながる能力」を与え、人間関係を作るときに役立ってくれます。

恋人の強みを生かすと、あなたは以下のようなことが可能になります。

1 感情で人とつながる
2 他人と協力する
3 信頼関係を築き、維持する

恋人には「寛大さ」「懐の深さ」「共感」「受容」といった特徴が備わっています。実社会でどう役立つのか、具体的に見ていきましょう。

感情で人とつながる

ロンドンでセミナーを開いたときに、ナイジェルという名前の男性が参加しました。彼によると、クライアントの1人から唐突に「本気で僕のことを心配してくれているのか」と聞かれたことがあるというのです。質問の意味がわからないまま、とりあえず「もちろん、心配しているさ」と答えると、そのクライアントはこう続けたそうです。

「君がプロジェクトの成否を心配していることはわかる。でも、僕のことはどうかな。もし、このプロジェクトから外れたとしても、僕に電話をかけてくるかい？」

恋人が低体温状態にあるナイジェルには、このクライアントがなぜこのようなことを聞いてくるのかが理解できません。仕事で結果を出すことに集中しているからです。ここで人間関係が問題になるとは、まったく想像していませんでした。ビジネスの世界では、男性、女性にかかわらず、心のなかの恋人が低体温状態に陥っている人をよく見かけます。とくに、西欧社会では、男性は成長の過程で感情をあまり表に出さないように教育されてしまいます。社会で評価されるのは知能の高さであって、感情表現は対象になりません。

ですが、時代は変わりつつあります。ウォール街の投資銀行勤務の人から、このようなエピソードを聞いたことがあります。顧客から顧問アドバイザーを解雇されたので理由を聞くと、「あんたのアドバイスは信用するけど、人間としては信用できないから」と言われたというのです。どんなに頭がよくても、人間として人とうまくかかわることができなければ、社会では成功できないというのが最近の傾向のようです。

ナイジェルのように、自分のなかの恋人が低体温状態に陥っていると、自然に人とつながるということが難しくなります。廊下で人とすれ違ったときに会話を交わさなかったり、隣に誰かが腰掛けても顔を上げなかったりするとしたら、あなたの恋人は低体温型の可能性があります。その場合、恋人にもっと強みを発揮させることで、あなたは人間としてもう一段成長することができます。職場でも家庭でも、人生がもっとスムーズに進むようになります。

恋人が低体温状態だと、あなたは感情を巡ってトラブルに陥りやすくなります。問題は2方向で起こります。あなた自身が感情を表現しないために起こるトラブルと、あなたが他人の感情に共感しなかったために起こるトラブルです。

ここではフリージャーナリストのラングドンの例を紹介します。ラングドンと妻の会話です（128ページ）。

ラングドンにとっても、妻にとっても、この会話がストレスの溜まるものであることがわかりますね。

男性にとっても、女性にとっても、偽りのないかたちで自然に他人の感情を理解して、共感するというのは簡単なことではありません。ただ、セミナーを通じて感じるのは、若者世代は、その上の世代よりも感情の扱いがうまいということです。

30代の若者世代は、女性が男性に対して感情を理解することを期待する環境で育っています。人生のパートナーとして感情を共有し、究極的には子育てもいっしょに行うことを当然と考える世代です。はじめて女性をデートに誘うときから感情を表現して、心の距離を縮めるというトレーニングを積んでいます。この世代の恋人能力は、一般的に、その上の世代よりも磨かれていることが多いようです。

心のなかで思ったが、口には出さなかったこと	実際の会話
	妻　今日は、職場でたいへんな日だったわ。上司が私のプロジェクトを全然支援してくれないのよ。たぶん、このプロジェクトはうまくいかないわ。
	ラングドン　へぇ。
	妻　しかも、同僚も私の悪口を言っていることがわかったの。私がチームを率いているのはおかしいと言っているみたい。誰も、私の貢献をきちんと評価していないのよ。
今日もまた職場でのメロドラマの話か。	
	ラングドン　たいへんだね。
	妻　あなたもひどいと思うでしょ？
はいはい、またいつもの被害妄想ね。	
	ラングドン　前にも言ったけど、もっと上の上司に相談したほうがいいんじゃないか。ところで、今日、俺の一日はとても仕事がはかどったよ。
	妻　何回も言っているけど、上の人に直談判するようなまねはしたくないのよ。チームのなかの問題児みたいな存在にはなりたくないわ。問題は、同僚が私の悪口を言っていることなの。信じられない。
この話はどこまで続くのか。そろそろ俺の話をしてもいいか？	
	ラングドン　俺の話をしてもいい？
	妻　私が大事な話をしているときに、なぜ？　少し時間をくれたっていいじゃない。
信じられない。もう耐えられない。	
	ラングドン　（無言）

ナイジェルやラングドンの場合は、恋人が低体温状態なことが課題でした。しかし、熱血的すぎる場合にも問題が生じます。私の元同僚、タマールのケースがそうです。

タマールは、クライアントとのあいだで大きなプロジェクトを立ち上げる計画がありました。クライアントの代表と会合を持ち、話し合いを通じて相手も乗り気だという印象を受けました。会合の最後には、プライベートではまっているヨガの情報交換もしました。「気が合った」という感触を得ていたのです。

しかし、その後、何度かメールを出しても先方から返事がありません。結果として、プロジェクトは断られてしまいます。不思議に思ったタマールは、共通の友人を通じて、クライアントの代表に断った理由を聞いてもらうことにしました。

すると、タマールの態度が親し気なことが原因であることがわかりました。プロジェクトの提案内容は気に入っていたにもかかわらず、断ることにしたというのです。クライアントの代表の名前はキャサリンですが、親しい人のあいだではクッキーというあだ名で呼ばれています。1回の会合で気が合ったと感じていたタマールは、メールのなかで彼女のことをクッキーと呼んでいましたが、先方はそれに違和感を持ったようです。メールに「次のディナーはいつにする?」「お気に入りのレストランはどこ?」などと書いたことも、馴れ馴れしいと感じられてしまった原因のようです。クライアントの代表は、「私が探しているのは仕事相手。友人ではない」と思ってしまったわけです。

相手に親しみを感じるのは大切なことです。恋人が司る大切な能力です。うまく使えば、相手から信用されて、いい関係を築くことができます。しかし、何事もバランスが重要となります。愛情も過剰になると逆効果です。相手が引いてしまい、人間関係が壊れてしまうのです。

他人と協力する

人間は他人と協力すると、1人ではできなかったことを実現できることがあります。また、1人でやるよりも大人数で取り組んだほうが、物事が早く済むこともよくあります。知恵を出し合うことで、よりよいアイデアが見つかったり、間違いを早期に発見できたりもします。そのうえ、恋人は他人といっしょに働くこと自体に喜びを感じることができます。人間は協力する生き物なのです。

私の姉ヘザーは、小児がんを専門としたソーシャルワーカーを務めています。彼女の趣味はマラソンですが、「他人と協力する」ことの威力を実感しています。朝5時に起きると雨が降っていたとしましょう。1人で練習していたら、ヘザーはついベッドに戻るところですが、外で練習仲間が待っていたらそうはいきません。仲間がいるから、練習を続けることができるのです。

マラソンをしている最中も同じです。彼女が走る目的は、小児がん財団のチャリティーのためです。坂道の多いサンフランシスコの街並みを走るのは容易ではありません。自分のためだけに走っていたら、完走できるかわかりません。しかし、ヘザーは「小児がんの子供を抱える家族、治療中の子供たちのことを考えると、最後まで走り切ることができる」というのです。まさに、人とつながることで、人間は自分1人ではできないことを成し遂げてしまうのです。

人間は人とつながることで、より高い価値を生み出すことができます。ビジネスの世界では、2人の創業者がパートナーとして組むことで成功を収めている例が数多く存在しています。自宅のガレージでウィリアム・ヒューレットとデビッド・パッカードの2人が機械作りを始めたことがきっかけで誕生した企業「ヒューレット・パッカード（HP）」は、2010年には売上高が1260億ドル、従業員数32万人というグローバル企業に成長しています。検索エンジンを世界に広めた「グーグル」の創業者セルゲイ・ブリンとラリー・ペイジ、アイスクリームブランド「ベン&ジェリーズ」のベン・コーエンとジェリー・グリーンフィールド、ファッションブランド「ドルチェ&ガッバーナ」のドメニコ・ドルチェとステファノ・ガッバーナなど、例はたくさんあります。

恋人が持つ「他人と協力する」能力は、3人以上の人間関係でも生かされます。ハイチの農村で医療活動を行っていた医師のポール・ファーマーやオフィーリア・ダールなどの複数の人たちが1980年代に協力して立ち上げた「パートナーズ・イン・ヘルス（PIH）」は、現在、世界10ヵ国の貧困地域で最新の医療行為を提供する団体として注目を集めています。

PIHの25周年を記念する雑誌記事のなかで、ダールは「協力し合うことで、世界の医療環境を向上させることができる」と訴えています。「ハイチには何千というNGOが存在しますが、みんなバラバラに活動している。こうした団体が、お互いにパートナーとなり、地元の団体も国際団体もみんなで協力し合えば、物事はもっと効率よく進むはずだ」というのです。PIHは無医村で暮らす20万の人々のために、現地で医療活動を支える団体とも、最新施設を持つ米国の病院ともパートナー関係を結んでいます。こうした協力関係を通じて、長期的に地元で医療を提供する仕組みを作ったり、地元の人を医療従事者として教育したりすることに成功しています。

エレナイのケースを見ていきましょう。エレナイは、複数の部署を統括する役割を果たしています。かつては、「人事」「予算」「IT（情報技術）サポート」と縦割りになっていた会社組織に「協力」「チームワーク」の文化を持ち込んだことが彼女の誇りです。そのため、部下の1人アトゥールがエレナイの提案に反対したことが許せないようです。

エレナイは、新しい「チームワーク」の象徴として、社員が定年退職するときには必ず退職パーティーを開くことに決めました。役職や部署、勤務年数に関係なく、どんな社員でも「大切なチームのメンバー」であったことに感謝するためです。しかし、次に退職するアトゥールは、自分のためにパーティーは開かないでほしいと訴えています。

アトゥール　自分のために退職パーティーは開かないでほしい。

エレナイ 退職パーティーはオフィスの慣例なのよ。あなたへの感謝の気持ちを表す場なの。

アトゥール 俺への感謝の気持ちを表す場なら、俺の気持ちを尊重してくれ。

エレナイ 過去にやはりパーティーはいらないと言った人たちがいたけど、結果的には2人ともやってもらってよかったと言っていたわ。慣例は守るべきよ。

アトゥール 人前に立つのがほんとうに嫌いなんだ。パーティーなんて、俺には拷問でしかないよ。

最後には、2人とも大声で怒鳴り合っていました。隣の部屋にいた人にまでアトゥールとエレナイの言い争いが聞こえていたといいます。

エレナイは、自分のなかの恋人が思いやりからパーティーを開こうとしていると考えていますが、実際は違います。エレナイは自分が作り上げた企業文化を守ろうとしているだけです。今、エレナイのなかで指揮権を握っているのは、闘士です。アトゥールへの思いやりは二の次になってしまっています。

エレナイは、自分のなかのビッグ4会議を再招集する必要があります。今度は、もっと恋人部分に活躍してもらわなくてはいけません。闘士には少し黙っていてもらいましょう。アトゥールの願いを、エレナイのなかの恋人が聞くと、パーティーを強行開催する以外の答えが見えてくるかもしれません。エレナイは、アトゥールにとって好ましい見送り方を考える一方で、会社のチームワーク文化を守らなくてはいけません。両方が実現できてはじめて、エレナイはマネジャーとしての自分の評判を維持することができるのです。

残念なことに、すべての協力関係が永遠に続くわけではありません。関係をやめるという決断が最善の策となることもあるのです。ただ、これは熱血型の恋人にとって、簡単なことではありません。

交渉術の分野では、伝統的に「合意に至る」か「去るか」という決断を合理的に判断するように指導してきました。想定される選択肢を並べて、最善の選択を選ぶというものです。このアドバイスは、理論上は正しいですが、実行するのは簡単ではありません。なぜなら、長年のパートナーと決別するという決断を司っているのは、通常、あなたのなかの「思考家」ではなく、「恋人」だからです。これは、決別する相手が、10年間結婚していた相手であっても、ビジネスをいっしょに運営してきたパートナーであっても事情は同じです。こうした決断は、恋人が〝心〟で受け止めるのです。

あなたのなかの恋人が低体温状態の場合には、案外すんなりと理屈にそって決別という決断を下せるかもしれません。しかし、熱血型にとってこうした決断を下すのは至難の業です。関係をやめることによるマイナスばかり思い浮かんでしまうからです。

マルビカの例を見ていきましょう。すでにパーソナルトレーナーとして多くの顧客を抱えていた彼女ですが、より知識を深めるために、栄養士の資格を取ることにしました。夜間クラスに申し込みましたが、それでも仕事との両立はたいへんです。そこで、友人のプリーティーに経理の仕事を任せることにしたのです。しかし、すぐにプリーティーには経理の才能がないことがわかりました。マルビカはプリーティーが犯す経理の間違いを正すのに追われるようになってしまったのです。マルビカは、勉強する時間を持てないままの状態が続いています。

友人はみんなプリーティーを解雇することを勧めています。マルビカ自身も自分でやったほうが早い仕事に対して、なぜ給料を払っているのかわかりません。頭ではプリーティーに辞めてもらうのが一番いいことはわかっています。

バランス型の恋人ならば、居心地の悪さを感じながらも、こうした場面をなんとか切り抜けることができると思います。しかし、マルビカのような熱血型の恋人にとっては困難な状況です。どんなに彼女の友人がプリーティーの解雇を勧めても、解雇することの問題点ばかり思いついてしまいます。

「でも、プリーティーはいい人」
「でも、私からの給料を頼りにしている」
「でも、一生懸命やってくれている」
「でも、彼女が私を嫌いになってしまう」

といった具合です。

典型的な「熱血型恋人のジレンマ」に陥っています。解雇するという選択が正しいとわかっていても、「でも彼女は友人だし」という結論にたどり着いてしまうのです。

熱血型の恋人は、理屈よりも人間関係を優先する傾向があります。この行動パターンでは、あなたはなかなか身動きがとれません。相手を傷つけたくないと思っているだけではなく、自分が傷つくことからも逃げなくてはいけないからです。熱血型の恋人は、感受性が豊かです。人よりも強く感情を覚えてしまいます。そのため、マルビカはプリーティーを解雇することで自分のなかに生じる罪悪感や悩みを避けようとしているのです。しかし、これでは永遠に正しい決断はできません。人間は「関係をやめる」方法も身につけなくてはいけないのです。

信頼関係を築き、維持する

信頼関係を作るというのは、職場でもプライベートでも、あなたのなかの恋人が果たす重要な役割の1つです。信頼は目に見えませんが、確実に感じることができます。あなたも、新しい人間関係で信頼が育ちはじめていることを実感したことがあると思います。もしくは、信頼関係が壊れたことを感じたこともあると思います。

人と出会って、すぐに「気が合った」と感じることがあります。これが信頼関係を築く第一歩になります。しかし、この最初の共感が信頼に変わるまでには少し段階を踏まなくてはいけません。私は自分の経験から、信頼関係を築くためには自分の心を少し開かなくてはいけないことを知っています。別に自分のなかの最大の秘密をさらけ出す必要はありませんが、自分のなかで重要と思えることを他人と共有することで、あなたは相手から信頼されるようになります。

信頼の分野では、嘘は通じません。他人から信頼されたかったら、普段から信頼に足る行いをしなくてはいけません。他人から優しい人と思われたかったら、心の底から相手を心配しなくてはいけません。内面がそのまま外側に表現される領域です。フリはすぐに他人に気づかれてしまいます。

私の交渉術の講座はハーバード大学のロースクール（法科大学院）で行われていますが、経営学修士（ＭＢＡ）コース所属の生徒の参加も歓迎しています。昨年、ＭＢＡから参加した生徒がとても興味深い発言をしていました。

彼はずっと、初対面の人とも気軽に共感できるのが取り得だと思っていました。しかし、私の講座を取るなかで、クラスメートから「その共感は嘘くさい」と指摘されてしまったのです。彼は悩み、「もっと本物らしく見えるにはどうしたらいいのでしょうか？」と、私に相談してきました。

ここで課題としているのは、信頼関係を構築し、維持することです。彼が、共感を本物らしく見せることを目標にしている時点で、ほんとうの信頼関係を築くことはできません。彼が偽りの共感を見せれば見せるほど、信頼関係は遠のきます。フリをすることはかえって逆効果です。

あなたは今、こうした例は、自分には当てはまらないと感じているかもしれません。しかし、よくあるケースなのです。私もよく似たような相談を受けます。たとえば、「あなたは私の話を聞いていない」と指摘されたことはありませんか。あなたは、話を聞いているつもりなのに、相手はあなたが心ここにあらずの状態にあることを見抜いているのです。

交渉術のノウハウ本では、人の話を聞くときは、相手の目をきちんと見て、相手の言ったことを正確に繰り返し、的を射た質問を2~3個投げ返すように勧めているかもしれません。こうしたテクニックを駆使しても、あなたが本気で関心を持って話を聞いていなければ、相手は「私の話を聞いていない」と感じます。人間はこうしたことを察知するセンサーのようなものを本能的に持っているのです。

信頼関係は偽れません。万が一、短期的にテクニックが効果を発揮したとしても、化けの皮はすぐにはがれます。長期的に信頼関係を維持するためには、あなたのなかの恋人が活躍して、本気で他人のことを気にかける心を持たなくてはいけません。

［恋人の復習テスト］

- 恋人が持つ強みをあなたは簡単に感じることができますか？ それとも、自分のなかで恋人を活躍させるのは難しいですか？
- 「寛大さ」「懐の深さ」「共感」「受容」といった特徴と、自分を結びつけることはできますか？
- 恋人が司る「感情」をどう活用しますか？
- 最近、あなたのなかの恋人は誰に対して一番愛情を傾けていますか？ 同僚、部下、クライアントですか？ 生徒、友人、恋人ですか？ 両親、兄弟、子供ですか？ あなたのなかの恋人は愛情の対象に対して、どんなことをしてあげていますか？ どんなことを語りかけていますか？ どんな愛情表現をしていますか？
- あなたのなかの恋人は「低体温型」「熱血型」「バランス型」のどれですか？ ビッグ４のなかで、目立つほうですか？ それとも、控えめなほうですか？
- あなたのなかのビッグ４会議で、恋人が会議を仕切るとどうなりますか？ 恋人が参加しないとどうなりますか？
- ビッグ４全員のバランスをよくするために、恋人としてどんな努力が必要ですか？

8章

行動
闘士に武器を持たせる

夢想家が夢の実現を切望し、思考家が物事を分析し、恋人が人とのつながりを促すように、闘士は結果をもたらす役割を果たします。計画書に署名をさせて、契約を成立させて、計画を完成させる力を持っています。闘士は自分の力を活用して、物事を前進させるのが得意です。

しかし、バランス型の闘士なら、むやみに自分の力を誇示したりしません。意味のない争いもしません。夢想家が抱く未来像や価値観にそった重要な場面で力を発揮するのです。自由、民主主義、人権といった原理原則のために戦います。

伝統的に、闘士といえば、自分たちの民族を守るために武器を持って戦う人たちのことです。勇気と義務感が、彼らの原動力となっています。しかし、こうした実際の戦闘場面以外でも、闘士が活躍する場面は数多く存在します。たとえば、あなたのなかの闘士が、信念のために立ち上がって、声を上げる勇気を与えてくれます。また、難しい決断を伝えなくてはならない場面や、反発を覚悟しながら正しい行為をしなくてはならない場面などで、あなたのなかの闘士が大活躍してくれるはずです。

歴史上で、闘士として名を残した人物はたくさんいます。ジュリアス・シーザー、アレクサンダー大王、ジャンヌ・ダルク、皇帝ナポレオン、ジョージ・ワシントンなど、例を挙げればきりがありません。集団の闘士として有名な部族もいます。北欧のバイキング、アフリカのズールー族、ギリシャ神話のアマゾネスなどです。カンフーで有名な少林寺の僧侶のように、闘士でありながら、戦いは可能なかぎり避ける人たちもいます。

政治の舞台では、声を上げることで戦いを挑んできた闘士がたくさん存在します。たとえば、非暴力主義でインドを独立に導いたガンジーが代表格です。ミャンマーのアウンサンスーチーは、軍事政権によって15年間も自宅軟禁されていました。国外退去すれば自由が保証されていたにもかかわらず、自国の民主化のために戦うことを選んだのです。

政治的な闘士は、政治家ばかりではありません。一般市民でも、戦う勇気を持つ人がいます。世界中で「マララ」として知られる、15歳のパキスタン人学生マララ・ユスフザイがそうです。２００９年、11歳だったマララはタリバン政権下での弾圧された生活についてブログでつづりはじめました。「女の子も教育を受けたい」という自分の夢をそこで語ったのです。欧米のメディアが彼女の存在をドキュメンタリー番組で紹介したところ、彼女は通学途中のバスのなかで頭と首を銃で撃たれてしまいます。しかし、マララは、奇跡的に一命を取り留めました。そして、こうした暴力による脅しに屈しないという選択をしたのです。女性に対する教育の権利を訴える活動に身を捧げる決意を固めました。

ビジネスの世界は、とくに闘士型の人物が集まりやすい分野のようです。たとえば、投資家のなかには「もの言う株主（アクティビスト）」として知られる人たちがいます。まさに、投資業界の闘士です。アクティビスト界の古株カール・アイカーンは、その敵対的買収を辞さない姿勢で有名になりました。また、若手のデビッド・アインホーンは、運営するヘッジファンドの投資手法が「攻撃的すぎる」と悪名が立つほどの闘士ぶりを発揮しています。

米国のお茶の間で、最も有名な「闘士型ビジネスマン」といえば、不動産・ホテル経営を手掛けるドナルド・トランプでしょう。彼は、自分の右腕となる人材を育てるという設定のテレビ番組に出演し、候補者を解雇するときに発する「お前はクビだ」という決めゼリフで全米中に知られるようになりました。

経営者には、時々、反発を覚悟しながら新たなルールを作らなくてはならないときがあります。２０１２年に米ネット企業大手ヤフーのＣＥＯに就任したマリッサ・メイヤーは、就任早々に電話会議を禁止して物議を呼びました。自宅勤務の従業員に対して、会社に出勤してくるように求めたのです。従業員同士が、会議室や会社の廊下で直接顔を合わせることで、生産的な話し合いができるという持論を展開しました。労働体系の柔軟性を誇る企業が多いシリコンバレーの風土のなかで、彼女の決定はかなり驚きをもって受け止められました。とくに、子供を持つ従業員からは「仕事と家庭の両立を奪うもの」との反発が出ました。

ではここで、夢想家、思考家、恋人のときと同様に、あなたの闘士がどんな性格なのか探るテストをしてみましょう。もしかしたら、あなたはこのテストの結果が気に入らないかもしれません。それでも逃げずに直視してください。なぜなら、あなたが繰り返しパフォーマンス・ギャップの罠にはまる理由が、ここに隠されている可能性が高いからです。

シナリオを読んで、自分がとると思われる行動にいちばん近いものを①〜③のなかから選んでください。

［シナリオ］

あなたは大きなNGOで働いています。社会をよりよくするために尽力するのが、あなたの団体の使命です。政府や財団などから多額の献金を受け取っているため、運営状況はマスコミや監視団体によって厳しく監視されています。不正や違法行為などがあれば、すぐにネット上でセンセーショナルに扱われることになります。

ある日、理事の1人があなたのところに来て、週末に団体の車と運転手を使いたいと言ってきました。娘の結婚式があるというのです。あなたは一瞬、理事が冗談を言っているのかと思いましたが、違いました。理事は本気です。

あなたならどうしますか？　なんと言いますか？　どんな行動に出ますか？

対応①

「信じられない。団体の運営倫理に反する行為であることはわかっているはず。理事という立場を利用して、私がダメとは言えないことを見越しているんだわ。とんだ災難だわ」。あなたは心のなかで葛藤しますが、理事には「日曜の夜までに返却してください」とだけ伝えます。

あなたは1人、苦しい週末を過ごします。倫理に反する行為を黙認したからです。とにかく、誰にも気づかれずに、週末が過ぎてくれることを祈りつづけます。すでに、頭のなかは月曜に行う隠蔽工作のことでいっぱいです。配車の書類は朝イチで破棄し、夜には運転手に一杯おごって、週末には何もなかったフリをするように説得する予定です。

対応②

「バカじゃないの。娘の結婚式？　マスコミに見つかったら、どうするつもり？　自分1人で対応してよ。私を巻き込まないでね」。こう心のなかで悪態をついた後、あなたは理事を見上げて、嫌みたっぷりの口調で続けます。

「部下にいいお手本を見せてくださってありがとうございます。団体職員全員が、車を個人使用しはじめたらどうなるか、想像してみてください。マスコミは大喜びするでしょうね」

あなたの発言を聞いて、理事は逆切れします。理事はあなたに対して、「俺にそのような口のきき方をしていいと思うのか？　この組織で働きつづけたいなら、態度を直せ」と怒鳴ります。

対応③

「理事の望みをそのままかなえるわけにはいかないわ。でも、彼は組織のお偉いさん。言葉を選んで断らなくては」。まず、頭のなかで整理します。そして、理事にこう告げます。

「娘さんの結婚式ですか！　おめでとうございます。でも、車の使用は難しいと思います。昨今、世間の目も厳しいので、ルールを曖昧にするわけにはいかないのです。でも、心からすてきな式になることをお祈りしています。週末はいい天気のようですよ」

あなたは落ち着いて、廊下を去る理事の背中を見送ることができます。

あなたの選択はどれでしたか。あなたのなかの闘士は、①なら低体温型、②なら熱血型、③ならバランス型ということになります。

バランス型の対応が、最善であることはわかりますね？　低体温型と違い、自分の価値観を妥協させることなく、ルールを貫きながら、熱血型のように上司とトラブルになることも避けています。低体温型の対応は、あなたにとって精神衛生上よくないだけでなく、組織にとってもマイナスです。理事が公用車を個人利用する行為を、部下がつねに黙認するような組織は、遅かれ早かれいつかは世間の批判にさらされることになるでしょう。一方で、つねに熱血型の対応をしていたら、あなたの職員としての評価に傷がついてしまいます。「上司に従わない部下」というレッテルを貼られ、仕事を失いかねません。権力には臆さずに注意深く対応できるのが、バランス型の闘士です。

闘士のパワーの源は「意志」で、「勇気」がその活力となります。バランス型の闘士は、あなたやあなたにとって大切な人たちを「保護」します。そして、あなたが何かを「成し遂げる」ときの原動力となることでしょう。

闘士の強みを生かすと、あなたは以下のようなことが可能になります。

1　難しい話題を取り上げる
2　自分の立ち位置を守る
3　行動を起こす

闘士には「堅実」「不屈」「断固」「責任感」といった特徴が備わっています。実社会でどう役立つのか、具体的に見ていきましょう。

正しいことを言う

メイソンという名前の医師がいます。彼の悩みは、友人オースティンがいつもシートベルトなしで車を運転していることです。オースティンは、「ボルボ社の車は世界一安全だからシートベルトは不要」と主張します。そのうえ、オースティンは運転中に携帯電話をよく使います。メイソンはたまにオースティンの車に同乗することがありますが、そのたびにオースティンが携帯をいじりながら、シートベルトなしで高速で車を飛ばす姿に不安を覚えます。

今日もメイソンはオースティンの車に乗っています。途中、オースティンは後部座席にある携帯を取るようにメイソンに頼みました。

「制限速度を超えている」「シートベルトをしてくれよ！」「携帯なんて問題外！」「もう降ろしてほしい」――メイソンは心のなかで、こう叫んでいます。しかし、何も言いません。言えば、言い合いになるからです。「携帯を取ってくれ」という依頼は聞こえないフリをして、無言を貫きました。

メイソンのケースは、闘士が低体温型の例です。他人との争いを恐れるばかりに、メイソンは正しいことを言うことができません。あなたにもこのような経験があれば、あなたのなかの闘士は低体温型の可能性があります。

一方で、次のコーディーの場合は、闘士が熱血すぎるケースです。コーディーは、カスタマーサービスに電話をして、簡単な修理を頼もうとしています。ところが、カスタマーサービスは、数ある年間プランの違いを説明しようとします。コーディーとカスタマーサービスの会話を見てみましょう。

カスタマーサービス プランの違いを1つずつ説明させていただきます。

コーディー そんな長期プランはいらないんだ。1回だけでいい。

カスタマーサービス いくつかのプランの説明を聞けば、お客さまの状況に合ったものを見つけられるはずです。

コーディー だからプランはいらないって言ってるんだ。もういい。さようなら（電話を切る）。

コーディーの行動パターンは、いつもこのようなかたちで進みます。自分の要望を伝えて、断られると、再度同じ要求をします。それでも、うまくいかないと、今度はけんか腰になってしまいます。その結果、コーディーが得たものはなんでしょうか。怒りをぶつけたことで少しは爽快感が得られたかもしれませんが、自宅に修理が来ないという状況に変化はありません。結局、問題は何も解決していないのです。彼のなかの闘士は、攻撃的にならない訓練をして、バランス型を目指す必要があります。

次に、私の講座参加者メアリーが、闘士と恋人のあいだでうまくバランスをとることに成功した例を紹介しましょう。彼女の置かれた状況は以下の通りです。

メアリーは、今、再婚して夫のチャーリーとともに幸せに暮らしています。チャーリーには、前妻とのあいだに子供がいて、その子供は前妻が住む場所の近所にある学校に通っています。しかし、チャーリーと前妻は子育ては分担して行っているため、ふたりのあいだの子供は、メアリーにとっても「実の子供」のような存在です。

その子が通う学校が、生徒名簿を作りました。目を通すと、チャーリーとメアリーの連絡先は載っていません。保護者の連絡先は1つしか載せない方針ということで、前妻の連絡先だけが掲載されていたのです。緊急連絡先として、自分たちの連絡先も掲載されることが重要だと考えた彼女は、PTA会合で複数の連絡先を掲載することを要求しました。学校側もこの提案に賛成してくれました。翌年の名簿には、チャーリーと彼女の家の連絡先も掲載されましたが、備考欄に「第二連絡先」と書いてありました。

そして、その翌年、再度、チャーリーとメアリーの連絡先は掲載されていなかったのです。事実関係を確認する必要があると考えた彼女は、学校の事務局にメールを出し、直接会って話し合うことにしました。

メアリー　夫のチャーリーも私も、再度、連絡先に載っていないことに怒りを覚えています。

事務局代表　ごめんなさい。どうやら、名簿作りのソフトウエアが自動的に「第二連絡先」を削除してしまったようなのです。こちらも締め切りに追われていたものですから……。

メアリー 学期が始まって数週間で名簿を完成させるのはたいへんでしょう。忙しいのはわかります。

事務局代表 ほんとうにそうなんです。

メアリー でも、すべての保護者を平等に扱うのは学校事務局の役目です。現在、この学校に通う生徒の親の約3割が離婚経験者です。離れて暮らしている親の連絡先も名簿に含めるのは当然でしょう。

事務局代表 でも、ソフトが勝手に自動削除してしまったことで起きたトラブルでして……。

メアリー どんなに忙しくても、印刷する前に間違いがないかどうか目を通すぐらいのことをするのは当然でしょう。それに、親の連絡先に第一も第二もないのです。チャーリーの子供は、私とチャーリーの家と実母の家を行き来しています。どちらも、子供にとっては自宅なのです。二度とこうした誤りが起きないようにしてください。ただ、こうした家族構成の問題について、学校側の対応が難しいのもわかります。事務局と保護者のあいだで、再度話し合う必要があるかもしれませんね。協力しますから、いつ集会を開くか決めましょう。

おわかりのように、メアリーは怒っていますが、キレることなく、最後まで相手を尊重して話を続けています。彼女のなかの闘士は、自分の主張を曲げずに貫きます。一方で、彼女のなかの恋人は、学校の事務局に対して労をねぎらうことを忘れません。メアリーは、闘士と恋人のどちらかに支配されることなく、同時に両者を引き出すことに成功しています。

自分の立ち位置を守る

今までは、闘士に備わる「正しいことを言う能力」について話してきました。では次に、正しいことを言った後に、相手が反論してきた場合に、闘士がどう役立つのかを見ていきましょう。

相手に反論されて、自分が折れるという状況は、日常生活のなかでわりと頻繁に起きます。たとえば、息子にそろそろテレビゲームをやめるように注意したとします。息子が1回だけ「もうちょっとお願い」と言ってきたら、「ダメ」というのは簡単です。しかし、息子がしぶとくねだってきたらどうでしょうか。つい「じゃあ、あと5分だけね」と妥協してしまいます。また、友人に「車を貸して」と頼まれた場合を考えてみましょう。保険のことなどを考えると車の貸し借りは賢明でないことはわかっていても、つい「今回だけよ」と言ってしまいがちです。

私の講座に参加したミンは、闘士が持つ「自分の立ち位置を守る」という能力をうまく活用した経験があります。ミンはある日、クレジットカードの支払いをネットで行おうとしたところ、延滞料が課されていることに気づきます。当日が支払期限のはずで、時計を見ると、まだ午後4時です。午後5時まで延滞料は課されないはずです。不思議に思い、注意書きを読みはじめると、とても小さい文字で「支払期限は、米東部時間午後5時」と書いてありました。米国は国内でも時差がある国です。ミンが住む西海岸では午後4時でも、東部時間ではすでに午後7時です。この延滞料は不当だと感じたミンは、クレジットカード会社のカスタマーセンターに電話をすることにしました。

ミンはカスタマーセンターに対して、延滞料を取り下げるように訴えますが、もちろん簡単に首を縦には振ってもらえません。それでも、ミンは一歩も譲りません。電話での長い話し合いの結果、ミンは延滞料を取り下げさせることに成功しました。そのうえ、最後には対応した女性の上司が電話口に出て、「お手間をとらせてすみませんでした」とお詫びまでしたというのです。

ミンとカスタマーセンターの会話を再現してみましょう（153～154ページ）。

ミンのケースがうまくいったのは、粘り強く交渉したからです。心のなかでは、はらわたが煮えくりかえるほど怒っていても、声を荒らげることなく、会話は冷静に行いました。カスタマーセンターの電話対応の女性を罵倒《ばとう》するのではなく、先方に対して会社として顧客を正当に扱うべきだと訴えつづけたのです。もしミンが交渉の途中で怒りをあらわにして、電話を叩き切っていたら、延滞料を払うハメに陥っていたことでしょう。

もしあなたのなかの闘士が低体温型だと思うのならば、自分のまわりにミンのような人がいないか探してみましょう。そして、彼や彼女の行動を注意深く観察してみてください。きっと、学ぶことがあるはずです。

心のなかで思ったが、口には出さなかったこと	実際の会話
	ミン　電話したのは、延滞料についてです。まだ、支払期限が来ていないのに、東部時間で５時を過ぎたという理由で、すでに延滞料が発生しているようです。
なんでこんなことに時間を割かなくてはいけないの。ほんとうに頭にくるわ。東部時間５時で延滞料が発生する規定なんて、馬鹿げている。あー、頭にくる。	
	カスタマーサービスの女性（CS）支払期限は、東部時間で午後５時です。
早く済むといいんだけど。	
	ミン　でも、私は西海岸に住んでいるのです。支払期限は今日で、西海岸ではまだ５時になっていません。今、口頭で支払いをさせてください。そして、二度と時差を理由に延滞料が発生しないようにしてください。 **CS**　東部時間で５時を過ぎたら、滞納ということになります。
このカスタマーセンターの従業員は、延滞料の規定がおかしいと思わないのかしら？　顧客をだましてお金を稼ぐ気なのね。	
	ミン　あなたの主張はよくわかります。でも、今日が支払期限当日であることに変わりはありません。ぜひ、今、電話を通じて払わせてください。そして、二度と時差を理由に延滞料が発生しないようにしてください。

心のなかで思ったが、口には出さなかったこと	実際の会話
	CS　では、特別に延滞料は免除します。その代わり、電話での支払いには別途、支払い手数料がかかります。こちらをお支払いいただきます。
もういい加減にして。	
	ミン　電話での支払い手数料も免除してください。
	CS　それはできません。
この女、ほんとうに頭にくる。クレジットカード会社って、もう大嫌い‼	
	ミン　納得できませんね。私はまだ支払期限を過ぎていないのです。
	CS　支払期限を過ぎています。
でも、絶対に引き下がらないわ。	
	ミン　請求書には、12日が支払期限とあります。今日が12日です。私の住むカリフォルニア州では、まだ4時です。4時に支払期限が来るという規定が許されると思いますか？　もし、それが正規のルールだと思うなら、もっと大きな字でわかりやすく書いておくべきです。もしくは、支払期限を1日前に設定すべきです。
	CS　私どもの規定では、東部時間午後5時以降は滞納ということになります。
	ミン　では、責任者と話をさせてください。
	CS　少々、お待ちください。

誰かがあなたのモラルに反するような行為をとろうとしたときにも、あなたのなかの闘士は、とても大切な役割を果たします。私のセミナーに参加したこの人物は、会社の倫理規定を守らない同僚ウェスの存在に悩まされていますが、バランス型の闘士を活躍させてうまく乗り切っています。彼が、ある日の会話を再現してくれました（156～158ページ）。

心のなかで思ったが、 口には出さなかったこと	実際の会話
	ウェス　経理が旅費を払い戻さないと言ってきたんだ。全部に領収書が添付されていないのが理由だそうだ。
また、ウェスの苦情が始まった。経理が払い戻しをしなかった理由がよくわかるよ。明らかに、仕事じゃなくて、私用だもんな。	
	私　経理のルールは、厳しいんだ。 **ウェス**　もう一つ払い戻し請求を出しているけど、そっちは払ってもらえるはずだ。
まだ、ほかにもあるのか？　彼の口調はほんとうに気に入らない。なんで、いつもそんなに会社に不満だらけなんだ。	
	私　なんの払い戻しだって？ **ウェス**　インターネット接続代も払い戻しの対象になるって聞いたんだ。ちょうど６ヵ月分の請求書が見つかったから、全部提出したんだ。
ネット接続代だって？　私用だろ。なんでもかんでも、会社に請求すればいいと思っているんだな。	
	私　（議論口調で）全員がネット代を請求しているわけじゃないよ。それに、自宅での接続は私用の場合が多いので、そろそろルールを変更しようと思っているところなんだ。 **ウェス**　（驚いた口調で）いや、みんな請求しているよ。

心のなかで思ったが、口には出さなかったこと	実際の会話
	私　請求してみてもいいよ。君の判断次第だ。だけど、異常に高額な通話料金同様に、私用のネット接続代を請求すると、君のモラルが問われるかもしれないよ。
モラルは？　倫理は？　おまえにはないかもしれないが、他の社員はきちんと守っているんだよ。	
	ウェス　確かに僕の通話料金は高いよ。でも、通話時間や料金に上限があるなんて知らなかったんだ。
	私　雇用したときに、私自ら説明したはずだよ。覚えてないのかい？　会社支給の携帯には、厳しい規定があると告げたはずだ。
	ウェス　いや、聞いていない。聞いていれば、ちゃんと注意したのに。誰も、僕に明快な使い方の説明をしなかった。聞いてないのに、どうやってルールを守れっていうんだい？
嘘つくなよ。きちんと説明したじゃないか。	
前回の話し合いを録音すればよかった！　証拠を残すべきだった。	
自分向けのメモ　次回、新人が入ったときには、倫理規定の説明をした証拠を残すこと。どちらにせよ、会社規定を学び、守るのは、社員ひとりひとりの責任だけどね。	

心のなかで思ったが、口には出さなかったこと	実際の会話
	私 （少し不快感をあらわにしながら）ウェス、よく聞いてくれ。君に会社規定を説明したことは確かです。私が自ら説明したんだから、100パーセント自信があります。万が一、君がその説明を忘れてしまったというのであれば、自己責任で勉強してください。会社から支給された携帯を、無制限で使っていいと考えるのは馬鹿げている。そろそろ、なんでも他人のせいにするのはやめるべきだろう。自分の行動には自分で責任を持ってくれたまえ。

行動を起こす

「行動を起こす」ということは、物事をやり遂げるということを意味します。あなたの普段の生活のなかにも、やり遂げなくてはいけないプロジェクトがたくさんあるはずです。「子供が夏に参加する林間学校に必要なものをすべて買いそろえる」「会社の机の上を整理整頓する」といったシンプルなものから、「参加するボランティア団体のために募金活動を展開する」といった複雑なものまでさまざまです。

日々の生活のなかで、「契約書に目を通してサインをする」「在庫を確認して再注文する」「時間通りに会議の席につく」など、いろいろな行動を起こすことが人々には求められます。大切なクライアントに対するプレゼンテーションの前に、資料が全部そろっていて、情報がすべて正確で、形式も整っているかどうかを確かめるのは、あなたのなかの闘士の仕事です。

会社勤めをしていなくても、闘士が活躍する場はあります。たとえば、あなたが3人の子供を抱える専業主婦だと仮定しましょう。1人目は病院、2人目はチェロのお稽古《けいこ》、3人目は友人宅でのパーティーと、子供の予定はまちまちです。その3人の予定をきちんと把握して、正確に送り迎えをするためには、あなたのなかの闘士を奮い立たせる必要があります。

将来に対する大きなビジョンがあり、それを実現するための計画を立てられたとしても、あなたのなかの闘士が行動を起こさないかぎり、期待通りの結果は得られません。たとえば、英国人の有名シェフ、ジェイミー・オリバーの場合を例に見ていきましょう。ビッグ4のなかの恋人と闘士を組み合わせたことで、すばらしいことを成し遂げたケースです。

ジェイミーは、米国や英国で人々の食生活を向上させる活動に力を入れています。彼のなかの恋人は、不健康な食生活を送る人々のことが心配でたまりません。この懸念が、彼の活動の原動力となっています。ですが、恋人がその優しさから心配しているだけでは物事は改善しません。ジェイミーの活動が、影響力を持つようになったのは、彼のなかの闘士が行動を起こしたからです。さまざまな場所に足を運んで、料理を実演したり、テレビ番組を通じて栄養価の高い食生活の重要性を訴えたりしたから、人々の食生活に変化をもたらすことができたのです。

あなたのなかの闘士が低体温型の場合、あなたは物事をやり遂げるのが難しいと感じているかもしれません。経費の払い戻し請求書を仕上げるときに、いつもすべてのレシートを添付せずに一部だけを提出して経理部から注意を受けたりしていませんか？　もしくは、夕食後のお皿の片づけがいつも中途半端だったりしませんか？　心当たりがあれば、あなたのなかの闘士は低体温型ということになります。低体温型の闘士には、物事を遂行しつづけ、完了させるという強い意志がありません。そのため、物事が中途半端で終わってしまったり、締め切りに間に合わなかったりしてしまいがちです。

一方で、熱血型の闘士にも問題があります。昼食時間もじゅうぶんにとらずに、次から次へと新しいことに取り組んでいるようなタイプの人は、熱血型の可能性が高いです。こうした熱血型の人がリーダーになると、部下たちは疲れ果ててしまいます。一息つく暇もなく、つねに働きつづけなくてはいけないからです。同時に、こうした熱血型の人たちは、知らず知らずのうちに自分自身も疲れ果てさせてしまうようです。行動過多がたたって、あるとき、突然に燃え尽きてしまうのです。

また、熱血型の闘士の場合、行動が先走りすぎて、その目的を見失うということがよくあります。バランスをとるためには、夢想家に意見を聞くことが大切です。あなたががむしゃらに動いている本来の目的が何かを、夢想家は教えてくれるはずです。「夢想家に意見を聞く」というプロセスを加えることで、あなたは行動速度が少し遅くなったように感じるかもしれません。しかし、この余裕を持つことで、あなたは自分の行動がほんとうに意味のあるものであるのかどうかを判断できるようになります。重要でないと判断した活動については、「しない」と決断するのも大切です。そうすることで、あなたは自分のエネルギーを重要案件に集中させることができるようになります。

行動を起こす＝責任をとる

「行動を起こす」という定義のなかには、成果を約束し、約束した成果を実現するという意味合いが含まれます。言い換えると、約束した成果が実現できない場合には、あなたに責任が生じるということです。失敗に対して、あなたはその責任を負う覚悟を見せなくてはいけません。

ここで、ジョンのケースを紹介します。ジョンと上司の会話を読めばわかりますが、ジョンは自分のなかの闘士が低体温型であるために、二重のトラブルに陥っています。1つ目は仕事が中途半端だったことで、2つ目はその責任から逃れようと上司に言いわけを繰り返したことです。もしジョンに責任を負う覚悟があれば、1つ目のミスは簡単に挽回できたかもしれません。いち早く過ちを認めて、二度と同じ過ちを犯さないことを誓えばよかったのです。しかし、低体温型の闘士であるジョンは、責任逃れを繰り返し、上司からの評価をより下げるという結果を招いてしまいました。

上司　なぜ、新入社員の募集作業がまだ終わっていないんだ？
ジョン　わかりません。なぜ、私に聞くのですか？
上司　君の担当だろう。
ジョン　厳密には、私の担当ではありません。
（長い沈黙）
ジョン　応募者の何人かは、必要な書類を全部送ってきていません。今は、こうした不足書類が届くのを待っている状態です。それに、別の上司からもいろいろな仕事を振られていまして……。応募者の履歴書に目を通している時間がないのです。

上司 だったら、ほかの誰かに仕事を手伝ってもらったらいいじゃないか。

ジョン 履歴書をほかの社員にも見せていいとは聞いていなかったもので……。

上司 応募者が必要な書類を全部送ってきていなかったら、それを催促するのは君の仕事だ。書類が全部そろうまで、連絡をとりつづけるのも、君の責任だ。その作業が遅れているのだとしたら、私に真っ先に報告すべきだろう。

ジョン 書類が整っていない応募者には、すでに催促のメールを出しました。

上司 新入社員の募集作業が終わっていないのは、君以外の誰かのせいというわけだな。悪いのは、君ではない、と。その理解で正しいと思っているのか？

闘士は失敗しないから強くいられるわけではありません。失敗してもいいのです。過ちに対して、逃げ隠れしない姿勢が闘士をいっそう強くするのです。

これで、ビッグ4全員の分析が終わりました。夢想家、思考家、恋人、闘士の4人それぞれの強みやタイプがわかりましたね。これで2部は終わりです。3部では、「トランスフォーマー（変革者）」――「見張り」「船長」「旅人」の3人――について詳しく見ていくことにしましょう。

［闘士の復習テスト］

- あなたのなかで、闘士の強みを簡単に感じることができますか？　それとも、自分のなかで闘士を活躍させるのは難しいですか？
- 「堅実」「不屈」「断固」「責任感」といった特徴と、自分を結びつけることはできますか？
- 闘士が司る「意志」をどう生かしますか？
- どんなときに自分のなかの闘士を解放し、戦わせますか？　どんな価値を守るために戦わせますか？　一方、どんなときに闘士の活動を制限しますか？　また、こうした体験から何を学びましたか？
- 今、闘士がいちばん話したがっている正しいことはなんですか？　今、自由に闘士を解き放てるとしたら、やり遂げてほしいことはなんですか？
- あなたの闘士は「低体温型」「熱血型」「バランス型」のどれですか？　ビッグ４のなかで、目立つほうですか？　それとも、控えめなほうですか？
- あなたのなかのビッグ４会議で、闘士が会議を仕切るとどうなりますか？　一方で、闘士が参加しないとどうなりますか？
- ビッグ４全員のバランスをよくするためには、闘士としてどうするのがいいですか？

3部　トランスフォーマーで自分のコアとつながる

9章

認識する 自分のなかの「見張り」を呼び起こす

弁護士のビルは、午前9時に会議室を訪れました。相手方の代理人を務める弁護士スペンサーから「2人で話し合いたい」と持ちかけられたからです。しかし、会議室のドアを開けると、なんとそこには相手方の弁護士が8人も並んでいるではありませんか。

ビルは、緊張で体を硬くしながらも、アドレナリンが全身にみなぎるのを感じていました。「負けてたまるか」——そう思い、先制攻撃に出ることにしたのです。

相手方が何か言う前に、ビルは過剰な要求を突きつけました。その後は、双方が「訴えてやる」と言い合う修羅場となりました。最後にビルは捨て台詞を吐いて、会議室をあとにしたのです。

ビルは経験豊かな弁護士です。こうした場面には慣れているはずです。また、クライアントのためには裁判に持ち込まないほうがよいこともわかっています。それでも、怒りをうまくコントロールすることができませんでした。その場の雰囲気に流されてしまったのです。

こうした経験は、誰にでもあるはずです。こうした場面で、あなたをトラブルから救ってくれるのが、「見張り」の役割です。

見張りとは

見張りとは、状況に何か異変がないかをつねに観察する人物のことです。異変を察知したら、その異変を他の人に報告します。見張りは、自ら異変に対応することはしませんが、異変に対処できる人物に、その情報を伝えるという重要な役割を担っています。同様に、私が推奨する自己改革メソッド「内面から勝つ方法」では、**見張りは「船長」に情報を伝える役割を果たしています。**

人間の注意力にはかぎりがあります。日常生活のなかで、必要なことのすべてに注意を払うのは、簡単なことではありません。とくに、自分自身に対して注意を払うことを忘れている人がとても多いようです。しかし、自分の内面に注意を払うということは、とても大切なことなのです。

自分に対する見張りの仕事は、２つあります。

1　自分のなかで何が起きているのかを注視する。

2　異変を察知したら、警告メッセージを発して、あなたに注意を喚起する。

そして、1の仕事のなかで、見張りが観察しなくてはいけないのは以下の2点です。

1-1　それぞれのビッグ4がどう活動しているか。

1-2　平常心を保っているか。

この2点を確認して、問題があれば見張りは警告メッセージを発するのです。前述した弁護士のビルのように、けんか腰の状態にあっても、警告メッセージを受け取れば、あなたはその場で行動を正すことができます。つまり、見張りを活用すると、あなたはパフォーマンス・ギャップの罠に陥らずに、避けることができるようになるというわけです。

たとえば、あなたが高速道路を走行していたら、目の前に真っ赤なフェラーリが割り込んできたとしましょう。慌ててブレーキを踏まされたあなたは、仕返しとしてアクセルを踏み込んで、フェラーリにぶつけてしまいたい衝動にかられます。このようなときに、見張りから警告メッセージが届くと、あなたは「そんなことをして警察にどう説明するのか」と冷静に判断することができるようになります。そして、トラブルを起こすことなく、ドライブを続けることができます。

ただ、見張りが警告メッセージを送っているにもかかわらず、あなたがそのメッセージを無視してしまうということはありがちです。テレビでスポーツ中継や人気ドラマを夢中で見ていたら、知らないうちにポテトチップスの袋がカラになっていたという経験はありませんか。見張りは、あなたがダイエット中にもかかわらず、ポテトチップスを次々に口に運ぶ様子をきちんと見ていたはずです。しかし、テレビとポテトチップスに夢中だったあなたは、見張りが送ってきた警告メッセージに気づくことができなかったのです。

見張りは、あなたが千載一遇の機会を逃す様子もよく観察しています。たとえば、あなたが大学の新人講師だとしましょう。悩みは、学部の〝お偉方〟の教授陣となかなか話す機会がないことです。そのようなとき、学部長が仕事を手伝ってくれる人を募集していることを知ります。学部長と知り合う絶好のチャンスです。しかし、あなたには応募する勇気が出ません。「新米が選ばれるはずがない」「学会での論文発表が少なすぎる」など、次々に不安が押し寄せてくるからです。結局、ほかの若手講師は応募したのに、あなたは応募を見送ってしまいました。

見張りは、この一部始終を観察していました。あなたのなかにある不安感が、あなたに応募を思いとどまらせたことを知っています。見張りは、あなたに応募を強制することはできません。行動を起こすのは見張りの役割ではないからです。しかし、あなたの前に鏡をかざして、あなたのなかのビッグ４がどう行動しているのかを見せることはできます。

あなたのなかの葛藤はこういう感じではないでしょうか。夢想家は、学部長の手伝いをすることは、自分の将来に大いに役立つと主張しています。一方で、恋人は、応募して選ばれなかったときのショックを心配しています。

見張りがここまで明確にビッグ4の対立の構図を教えてくれれば、あなたはもうどう対処すればいいのかわかりますね。夢想家と恋人に話し合いを持ってもらえばいいのです。今まであなたはこうした場面で、つねに恋人の意見を優先して、千載一遇のチャンスを逃してきたのです。

自分の行動を先読みする

見張りがビッグ4を観察し、警告メッセージを送れるようになると、あなたの行動パターンは大きく変わりはじめます。なぜなら、実際に行動をとる前に、自分の反応を予測できるようになるからです。

言い換えて説明しましょう。見張りは、あなたに与えられた状況下で、あなたがどんな反応をするのかを事前に予測します。そして、あなたに教えてくれます。実際に行動したり、言葉を発したりする前に、自分の言動を教えてくれるのです。この事前情報を元に、あなたは予測通りの言動をとってもいいし、言動を変えてもいいのです。

見張りからの情報を元に、あなたが今までとは違う行動をとるようになると、まわりの人々か

図15

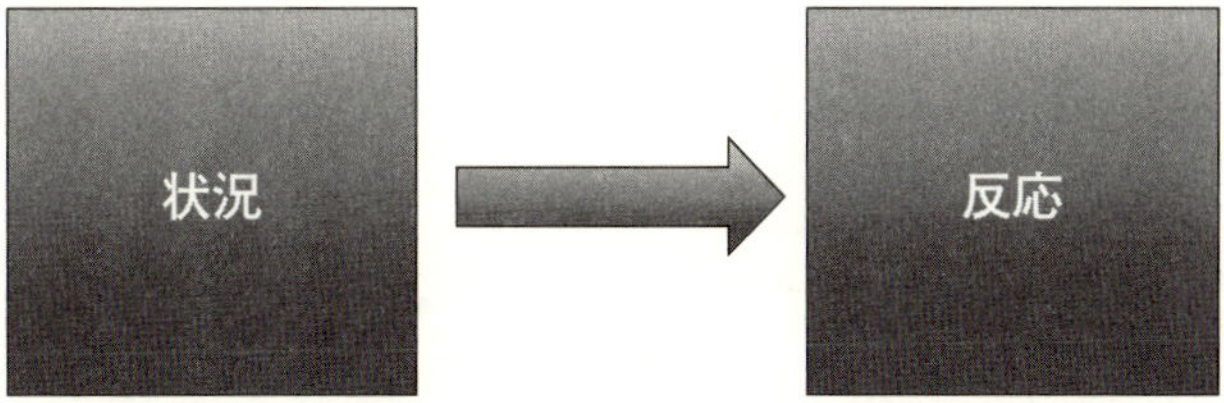

らのあなたに対する反応が変わってくるはずです。あなたは今までとは違った成果を挙げられるようになります。見張りを活躍させることで、あなたの行動パターンは根本から見直されます。こうした変化は、私生活でも職場でも大いに役立つはずです。

ここで、私のセミナーに参加したギヨームの例を紹介したいと思います。彼は時々、クライアントにキレてしまうことがあるそうです。瞬間湯沸かし器型の彼は、怒りを感じると、次の瞬間にはクライアントに対して怒鳴り散らしてしまいます。

ぶたれたらすぐに痛みを感じるように、怒りを感じたらすぐに爆発してしまうのです。怒りと爆発のあいだに時差がほとんどないので、ギヨームは見張りが活躍する隙はないと感じています。

ギヨームの行動パターンを図に表すと図15のようになります。この図でわかるように、見張りを活用しないと、人間の行動は、とても短絡的なものになってしまいます。

心のなかで思ったが、口には出さなかったこと	実際の会話
なんだって？　書類が準備できてないだって？　冗談だろ。なんで、そんなに段取りが悪いんだ。手間ばっかりとらせやがって。ふざけんじゃねぇ。	**ギヨーム**　おまえら、頭は大丈夫か？　俺は、おまえらのためにがんばってやっているんだよ。提出期限はわかっているはずだよな。期限を過ぎたら、全部がパーなんだよ。投資する気がないなら、はじめから俺に時間を取らせるな。

ギヨームは、国際的な金融機関で働いています。投資家から集めた資金を発展途上国に投資して開発に役立てる一方で、投資家に対してもハイリターン（高収益）を約束する仕組み作りに情熱を傾けています。多くの投資家が参加に関心を示していますが、いつも最終段階で壁に突き当たることに、ギヨームはいらだちを募らせています。

上のギヨームのクライアントに対する発言を見てみましょう。

ギヨームは、自分の怒りを制御する方法はないと感じているようですが、解決方法はあります。見張りを活躍させるのです。ビッグ4に見張り役を加えると、図15は図16のように変化します。実際、後にギヨームはクライアントに怒りをぶつけずに対応することができるようになりました。行動を起こす前に、行動を予測でき

図16

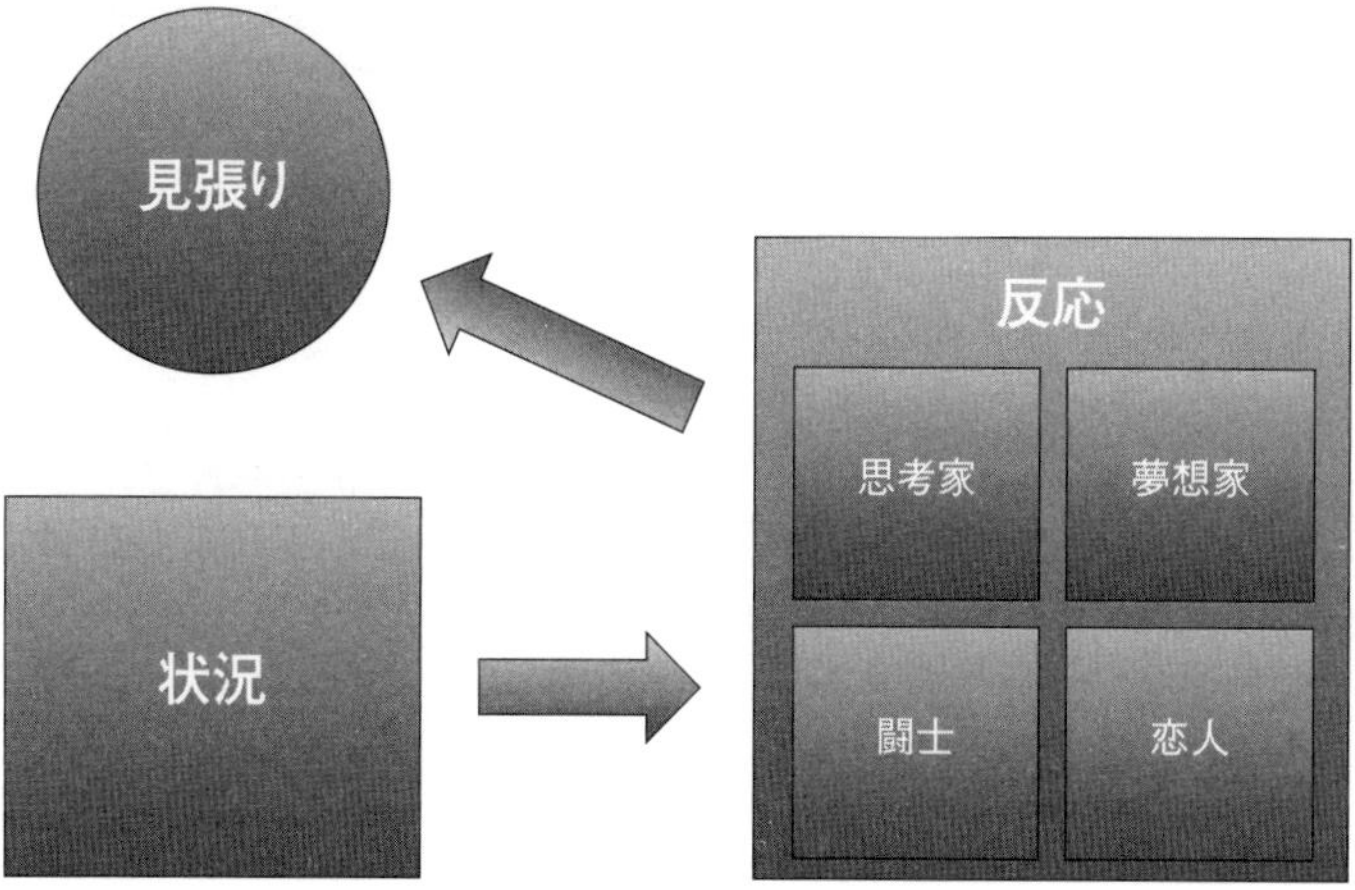

心のなかで思ったが、口には出さなかったこと	見張りが察知した異変と、発した警告メッセージ	実際の会話
なんだって？　書類が準備できてないだって？　冗談だろ。なんで、そんなに段取りが悪いんだ。手間ばっかりとらせやがって。ふざけんじゃねぇ。		
	怒りで顔が赤くなり、心臓がバクバクしています。怒りが爆発しそうです。 深呼吸をしましょう。 １回では足りないみたいです。もう一度、大きく息を吸ってみましょう。	書類が整っていないと聞いて、とてもがっかりしています。あなた方のために、私はがんばって仕組み作りに取り組んできたのに、あなた方は努力をしてくださらなかったようですね。あと１週間で書類がそろわないと、今回の計画は完全に流れてしまいます。３日後にまた来ますので、それまでには書類を整えておくことを約束していただけますか。
あー、怒鳴り散らしたい。	平常心、平常心。深呼吸しよう。 セミナーで学んだことを思い出そう。	

るようになったからです。

見張りからの警告メッセージが加わったことで、実際の会話は右ページのように変化しました。時間の問題はどうでしょうか。気がついたらすでに人を怒鳴っているような瞬間湯沸かし器型の人にとって、見張りからの警告メッセージを聞いている時間などはないように感じられるかもしれません。しかし、見張りの意見を聞き入れる作業に、ほとんど時間はかからないのです。練習で、その作業はいくらでも短縮できます。

確かに、はじめは少しゆっくりと進める必要があるかもしれません。どんなルーチン作業も同じです。教習所ではじめて車を運転したころを覚えていますか。運転席に座ってから、エンジンをかけるまでに10分ぐらい時間がかかっていませんでしたか。バックミラーを直す、座席の位置を自分用に合わせる、ダッシュボードの数字を確認する、といった作業にいちいち手間取っていたはずですよね。しかし、何事も慣れれば、素早くできるようになるのです。

また、見張りからの警告メッセージは、必ずしも言葉である必要はありません。見張りからの警告は、「嫌な予感」でも、「胃をつねられた感覚」でも、なんでもいいのです。見張りとのコミュニケーションに慣れてくると、あなたはこうした警告を瞬時に感じることができるようになります。

そして、こうした警告を察知したら、あなたは深呼吸をして、自分がとるであろう行動を先読みすればいいのです。この作業には1秒もかかりません。

好機を知らせる

見張りは、あなたがトラブルに陥らないように監視しているだけではありません。あなたが好機を逃さないように、チャンス到来を知らせる役割も担っています。ここで、ダニーという名前の10代の少年の例を紹介します。ダニーは、父親が私のセミナーに参加していたために、いっしょに顔を出すようになりました。

ダニーの夢は、有名人のポートレートを撮るようなフォトグラファーになることです。両親はダニーの夢をかなえてあげたいと思っている一方で、高い道具を買いそろえたあげくに「ただの趣味」で終わってしまう状況を懸念しています。新型カメラが発売され、ダニーはそれを手に入れたいと思っていますが、両親は賛成していません。

ダニーはふてくされ、フォトグラファーになるという夢をあきらめようかとさえ思いはじめています。そのような矢先に、ちょうど私の講座に参加して、ビッグ4の考え方に出会いました。そして、夢想家の意見に耳を傾けることを思い立ち、ダニーは「あきらめるのはまだ早い」と感じるようになったのです。

彼は、従姉ジャスミンの結婚式が近いことを思い出します。そして、彼女の結婚式の写真を無料で撮影する代わりにカメラを買ってもらえないかと交渉することにしました。

以下は、ダニーとジャスミンの携帯電話のショートメッセージサービス（ＳＭＳ）を通じたやりとりです。

ジャスミン　提案、ありがとう。でも、すでにプロのカメラマンを雇ってしまったのよ。一生に一度のほんとうに大切な日だから、やはりプロに頼みたいわ。

ダニー　わかりました。

ダニーは、また壁にぶつかってしまいました。再びあきらめようと思ったときに、ダニーは「見張り」の存在を思い出します。見張りは、1回の拒否ですぐにあきらめてしまうダニーの夢想家の行動パターンを確認していました。そして、「好機を逃すなよ」と信号を送ってくれたのです。

そこで、ダニーは再度、ジャスミンにSMSを送ることにしました。

ダニー　最近は、結婚式の写真を集めたサイトを設置する新婚カップルも多いよ。参加者の情報を、写真の脇につけたりしてさ。サイト向けの写真を僕が撮るというのはどうだろう。もちろん、撮影代はカメラを買ってくれたらタダでいいよ。

ジャスミン　サイトのことは考えてなかったわ。いいアイデアね。ぜひ、お願いするわ。

ダニーは今回、自分の行動パターンに見張りを加えることで、いつもの失敗のサイクルから脱出することができました。見張りの警告のおかげで、夢を簡単にあきらめがちな低体温型の夢想家の決断に引きずられることがなかったからです。こうしてダニーはカメラを手に入れました。ダニーは、パフォーマンス・ギャップを克服したのです。

平常心を保つ

前述したように、見張りは2つの点に注目してあなたを観察しています。1つがビッグ4の活動状況で、その点については、今まで詳しく見てきました。では、次に2つ目の観察点――「平常心を保つ」という役割について考えていきましょう。

「ほしがる」「考える」「感じる」「行動する」という基本的な活動の真ん中に、あなたの「中核（コア）」が存在します。このコアは、「あなた自身」と言うこともできるし、「あなたの中心」と表現することもできます。「平常心の核」と呼ばれることもあります。呼び名はなんであれ、あなたのコアは感情や欲望、衝動よりも深い部分に存在します。

トランスフォーマーの3人――「見張り」「船長」「旅人」――は、このコアな部分につながっています。奥深くとつながることで、あなたの内面がほんとうに平穏な状態にあるのかどうかを確認することができるのです。では、平常心が保たれている状態とは、どんな状態のことなのでしょうか。

平常心が保たれている状態というのは、精神のバランスがとれている状態のことです。「内面から勝つ方法」を実践するなかで、見張りがつねにあなたの精神バランスを確認するという作業は、とても大切になります。ビッグ4全員がバランスよく話し合いに参加し、あなたが平常心を保った状態にあることが、人生で正しい選択をするカギになるからです。どちらが欠けても、あなたはパフォーマンス・ギャップの罠に陥ってしまいます。見張りは、その両方がそろっていることを確認するという重要な役割を果たしているのです。

あなたが自分の内面とも、自分を取り巻く外の世界とも調和していると感じられているとしたら、それは平常心が保たれている状態です。平常心には、保たれている状態と保たれていない状態の2種類しかありません。実際には、もっと複雑な面もありますが、ここではあまり重要ではありません。

平常心が保たれているか否かは、あなたの肉体と深い関連性があります。たとえば、睡眠をたっぷりとり、食事をじゅうぶんにとった後には、人間は他人に対して気長に対処できるものです。一方、欲求が満たされていないときには、平常心を失いやすくなります。睡眠時間が少なく、空腹の際には、人間は短気になりがちです。

パートナーとの関係でも、似たようなことが言えます。長いこと寝室を別にしている夫婦は、精神的にも距離が生まれてしまいます。一方で、頻繁に肉体関係を持っている夫婦は、相手に対して思いやりを持って寛容に対応することができます。

忙しい日常生活のなかで、突然、平穏を感じることもあります。たとえば、森に足を踏み入れたときや、初雪を窓から眺めているときに、精神のバランスがとれていることを感じることができるかもしれません。

平常心を感じることができる場面を考えてみてください。座禅を組むだけが、平常心を保つ方法ではありません。ヨガをする、料理をする、日記を書く、子供の寝顔を見る——など、平常心を体感できる場面が、日常生活のなかにもいろいろあるはずです。

では、平常心が保たれていない状態とは、どんな状態でしょうか。それは、保たれている状態よりも、簡単に実感することができると思います。たとえば、このような状況を考えてみてください。

今日は朝の目覚めもよく、一日が平穏に過ぎようとしています。そう思った矢先に、以下のようなことが起こったと仮定しましょう。あなたは、どう感じますか。

- 突然、同僚があなたの仕事ぶりを大声で批判しはじめた。
- 別れた妻から嫌がらせメールがスマホに届いた。
- 税金の支払要請額が昨年の2倍になっていた。
- 友人がランチに1時間遅刻してきた。

・娘が門限を大幅に破って、深夜の2時すぎに帰宅した。
・2週間前に修理したばかりのプリンターが、また壊れた。

人間はこうした場面に直面すると、平常心が瞬《またたく》く間に崩れてしまいます。少なくとも、私はそうです。こういう状況では、私は「家族も大嫌い、同僚も大嫌い、税務署も大嫌い、プリンター会社も大嫌い」という気分に陥ります。そのあげく、憂さ晴らしにクッキー1缶をやけ食いして、自己嫌悪にも陥るというおまけまでついてきます。

人間も、動物の仲間です。ここで例に挙げたようなトラブルが起こった際に、反射的に行動を起こすというのは動物としての本能です。問題が起きると、心臓がバクバクして、ストレスホルモンが血管に放出されます。ストレスから手の平に汗をかくこともあります。平常心を失うと、人間は肉体的に反応してしまうのです。

『EQ　こころの知能指数』の著書で知られるダニエル・ゴールマンは、脳のなかの扁桃状部について詳しく調べています。身を守るという原始的な本能を司る部分で、刺激を与えると、人間の性格を〝乗っ取って〟しまう危険性があるというのです。

人間にも、とっさに危険から逃げたり、車にひかれそうになっている子供を助けたりと、身を守る本能が必要な場面があります。ですが、複雑な現代社会では、この本能が役立つときよりも、問題を引き起こすことのほうが多いように思います。人間は、大草原に1匹で暮らす野生動物ではないからです。つねに、他人とかかわりを持たなくてはなりません。

身を守る本能に乗っ取られた人間同士が、会議室に集まって討論を始めたらどうなるでしょうか。それぞれが自分の身を守ろうと、大げんかになることは火を見るより明らかです。これは場面が、家族会議でも、自治会の集会でも、会社の経営会議でも事情は同じです。

こうした場面では、見張りに活躍してもらい、平常心を保つことが重要になります。人間は哺乳類ですが、ほかの動物よりも進化しています。身を守る本能に乗っ取られそうになったとしても、その衝動に対抗することができるのです。「身を守る」という衝動通りの行動をしなくてもいいのです。平常心を取り戻して、平穏に暮らすことができます。

平常心の重要性を論議してきましたが、つねに平常心でいるということは簡単なことではありません。悟りの境地にでも至らないかぎり、実現は難しいと思います。つねに平常心でいることを実現できている人が世の中にいる可能性は否定しませんが、私は個人的にそういう人物にお目にかかったことはありません。人間なので、イライラしたり、恐れたり、動揺したりしてもいいと思うのです。

さらに言えば、つねに平常心でいることを目指す必要もないと考えています。平常心でいられる時間をなるべく長くするように心がけて、精神のバランスが崩れたときに自分で認識できればじゅうぶんなのです。バランスが崩れたことを認識できれば、あなたは事前に次の動きを予測することができます。米映画『ハルク』は、主人公が怒りを感じると緑色の巨人に変身してしまう話ですが、平常心を失ったことを認識できるようになれば、あなたは自分が緑の巨人に化けてしまうような事態を避けることができます。

10章

注意を払う「船長」に舵をとらせる

２００９年1月15日、チェズレイ・サレンバーガー3世は、ニューヨーク発ノースカロライナ行きの民間機の機長を務めていました。離陸直後に鳥の群れがエンジンに入る「バードアタック」を受け、両エンジンが機能停止に陥ってしまいました。しかし、機長は冷静な判断で、ハドソン川への不時着を成功させ、乗客乗員全員の命を救ったのです。この一件は、後に「ハドソン川の奇跡」と呼ばれるようになりました。

両エンジン停止から不時着までのあいだには、ほんの数分しかありませんでした。その数分のあいだに、機長は重要な決断を下さなくてはいけなかったのです。機長は当初、「元の空港に引き返す」と「別の近隣空港に向かう」という2つの選択肢について、管制官と話し合っていました。しかし、人口密集地に位置するどちらの空港への不時着も危険が大きすぎると判断します。万が一、着陸に失敗した際に、乗客だけでなく近隣住民までも危険にさらす可能性があったからです。

そのとき、突然、機長は、目の前にあるハドソン川を滑走路として使うアイデアを思いつきます。そして、その計画を実行し、成功させたのです。

当時のハドソン川は凍るほどの低温状態にありました。不時着から救助までに時間がかかれば、せっかく不時着に成功しても乗客の生存率は下がってしまいます。そこで、機長はハドソン川のなかでもレスキュー隊基地の近くを選んで飛行機を着水させたのです。極度の緊張状態のなかで、サレンバーガー機長は終始、冷静さを失わずに的確な判断と行動を貫きました。

サレンバーガー機長の行動は、まさに「よい船長」の代表例です。経験に裏打ちされたスキルがあり、注意力を発揮し、平常心を保って行動しました。この3つの要素がそろったから、「ハドソン川の奇跡」は起きたのです。

船長とは

見張りは、**あなたの内面**で何が起きているのかに対して目を光らせています。一方、船長は、**あなたの周辺**で何が起きているのかを観察しています。船長は、自分で集めた情報と見張りから受け取った情報の両方を考慮して、次にどんな行動をとるべきかを判断します。

船長にとって、見張りはとくに重要な乗組員の1人です。見張りから正しい情報が届いてはじめて、ビッグ4のなかの誰がその場を仕切るべきかを正確に判断できるからです。

見張りによって、自分の内面で何が起きているのかを観察できるようになるだけでも大きな進歩です。しかし、これだけでは長年繰り返してきたパフォーマンス・ギャップから逃れることはできません。なぜでしょうか。

見張りを活躍させて、これからトラブルに陥りそうだということを予感できるようになっても、まだ、トラブルを避けるためにどんな行動をとったらいいのかがわかっていないからです。そこで、船長の力が必要となります。見張りからの情報を元に、正しい行動を指図できるのは船長だけです。

また、船長は価値判断ができます。見張りは、情報を集めるだけで、価値判断はできません。集めた情報に色をつけずに、正しく伝達することが仕事です。一方で、船長の仕事は、価値判断を下すことです。自分のモラルに照らし合わせて、どんな行動をとるべきかを判断します。あなたが会社でリーダー役を務めたり、安定した日常生活を送ったりするなかで、船長のこの役割はとても重要な意味を持ちます。船長は、あなたが仕事を怠けたり、違反を犯しそうになったりしたときに、耳元で「ちょっと待てよ」とささやいてくれるのです。

忙しい毎日を送っていれば、自分のなかの道徳観念を見失いそうになることもあるかもしれません。人間は完璧ではありませんから、自分の価値観に反した行動に走るという場面は、それほど珍しいことではありません。あなたのなかには船長が必要なのです。自分のなかの価値観や道徳心を司る船長に自分の舵とりを任せる習慣がついていれば、あなたが選択を誤ることはなくなります。

繰り返しになりますが、「あなた」という名の船の舵をとるのは、船長です。ビッグ4ではありません。ビッグ4のメンバーの1人だけが出しゃばると、失敗を犯しやすくなるということについては、2部で詳しく説明済みですね。ビッグ4の4人は、ただの乗客でしかありません。あなたの人生を先導するのは、船長の役割です。

船長は、以下の3つの過程を通じて、あなたを最善の選択に導いてくれます。

1 見張りから情報を受け取り、取捨選択する。

2 周囲に注意を払い、状況を的確に判断する。

3 自分のなかにある見識や道徳心に照らし合わせる。

ビッグ4のメンバーには、それぞれに得意分野がある一方で、不得手な分野があります。たとえば、夢想家の場合、夢と現実の区別をつけるのがあまり得意ではありません。また、闘士の場合は、他人に思いやりを示すのが苦手です。それぞれの強みと弱みを理解して、必要な場面で最適なビッグ4を活躍させることができるのは船長だけです。

自分のなかに独立した船長という存在を置くだけで、あなたの行動パターンは飛躍的に改善するはずです。なぜなら、皆さんのなかには、ビッグ4のなかの1人か2人に「人生の舵とり役＝船長」を務めさせてしまっている人が多いからです。そして、それがパフォーマンス・ギャップの原因になっています。得意分野にかぎりがあるビッグ4のメンバーに、船長は務まりません。さまざまな分野の情報を包括的に判断できる船長にしか、船の運航＝人生の舵とりは任せられません。

ビッグ4を操る

2部で詳しく見てきたように、ビッグ4のメンバーにはそれぞれに専門とする分野があります。必要な場面で、最適なビッグ4のメンバーを呼び出すのは、船長の仕事です。

ここで、船長がビッグ4の4人をうまく操っている会話の例を紹介します。

マルコスはオランダ・ハーグ近郊の政府機関で働いています。最近、組織改革があり、新設された職種を任されることになりました。そして、元同僚だったラーズが上司にあたる地位についたのです。

マルコスは、新しい仕事について、同僚とミーティングを持つことにしました。堅苦しい会合ではなく、コーヒーを飲みながら忌憚《きたん》のない意見交換をする予定でした。しかし、このミーティングについて聞きつけたラーズは、マルコスに中止を求めてきたのです。

マルコスによる状況説明はこうでした。

「ラーズからミーティングの中止を要請するメールを受け取りました。怒りが込み上げてきて、全身にアドレナリンが走るのを感じました。途中までメールで返事を書きはじめたのですが、怒りに満ちた文面を見て、直接話したほうがいいと判断しました。そして、ラーズのオフィスに向かったのです」

実際の会話が始まる前から、マルコスの見張りが機能していることがわかりますね。見張りがマルコスの怒りを察知して、船長にその情報を伝えています。そのため、マルコスはラーズに怒りのメールを出すことなく、直接話すという冷静な判断を下すことができたのです。

ここからが実際の会話になります。太字は、私が加えた説明部分です。

マルコス ラーズ、ちょっと話せるかい?

ラーズ 忙しいけど、数分ならいいよ。

マルコス メール、読んだよ。正直、とても驚いている **[マルコスの恋人が自分の感情を伝えている]**。君とは、もっと違うかたちで仕事が進められると思っていた **[夢想家が仕事上の人間関係の理想について語っている]**。しかも、ミーティングを中止しなくてはいけない理由がわからないよ **[思考家が中止の理屈が理解できないと抗議し**

ている」。

ラーズ 動揺させるつもりはなかったんだ。でも、君の異動に関しては、オフィス内でもさまざまな動揺が起きている。だから、ほかの同僚と話を始める前に、君と私で話を詰めておく必要があると思うんだ。普通、上司と先に話をすべきだろう。

マルコス 君と僕の関係がこんなふうになるとは思っていなかった **[再度、夢想家が仕事上の人間関係について語っている]**。僕たちは、長年の知り合いだ。お互いの仕事ぶりを尊敬し合っている。僕が的確に対処すると信用できるはずだ **[恋人が2人のあいだにある長年の歴史や信頼関係について訴えている]**。ミーティングといっても、ただの意見交換なんだ。そこで、重要なことを決定するつもりはない **[思考家がミーティングの趣旨を説明している]**。

ラーズ 君の新たな仕事内容については、私と先に話し合うべきだ。君のアイデアを紙に書き出しておいてくれ。それで、2人で先に話し合おう。同僚と話すのは、その後にすべきだ。

マルコス 紙に書き出すことはできない。まだ、アイデアがないんだ。だから、今回、同僚とカジュアルなミーティングを持って、みんなの意見を聞こうと思っているんじゃないか。もう何年も僕はこうした仕事のスタイルを貫いてきた **[闘士が自分の立ち位置を説明している]**。

ラーズ　君の上司として、ミーティングの中止を命じる。代わりに、アイデアを書き出して、金曜日までに私に提出するように。

マルコス　（中止は）約束はできない。考える時間が必要だ　**［自分の怒りをコントロールしながらも、闘士が自分の主張を貫いている］**。とにかく、金曜日にまた会おう。

ラーズ　今は、私が君の上司であることを忘れるな。では、金曜日に。

船長は状況を判断する

見張りと船長は、大事なパートナーです。見張りは、あなたのなかのビッグ4を観察する役割を果たしています。ビッグ4のメンバーが、何を考え、何を感じて、何をほしがっているのかを見守っています。そして、重要なことを見かけたら、船長に緊急メッセージを送って、そのことを知らせるのです。

見張りからメッセージを受け取った船長は、自ら周辺情報を収集しはじめます。あなたが置かれている状況や背景を正確に理解するためです。たとえば、見張りが氷山を見つけたとしましょう。その情報を受け取った船長は、潮の流れや風の強さに注意を払います。こうして、状況を総合的に判断することで、船長は新たな針路を決めることができるのです。

では、具体的に、日常生活のなかで船長はどのように活躍するのでしょうか。あなたのなかの見張りが、「あなたが動揺しはじめて、今にも闘士が怒鳴り出しそうだ」という状況を察したとしましょう。警告メッセージを受け取った船長は、状況を正確に把握するために、以下のような質問を投げかけてくるはずです。

- みんなの面前で、友人を「アルコール飲料の消費量が多すぎる」と攻撃するのは、賢明なことか。
- 自分のミスではないことで責められている。反論すべき場面か。
- 自分の顧客からの支払いが遅れている。誰に相談するのが最適か。
- また、デートに遅れそうだ。どうやったら、けんかにならずに事情を説明できるか。
- 言いわけをする前に、まず謝罪の言葉を口にすべきか。

あなたのなかの感情と、外の状況を複合的に判断して、最善の選択を導き出すのが船長の仕事です。船長による検閲なしで、ビッグ4の衝動のまま行動に移すのは危険です。

1回デートしただけですが、あなたのなかの恋人が「愛している」と叫んでいるような出会いがあったとします。相手に、そのまま意思を伝えるのは賢明なことでしょうか。また、同僚から企画書を見せられたとしましょう。あなたのなかの思考家は「大した内容ではない」とつぶやいていますが、そのまま伝えていいものでしょうか。行動に移す前に、あなたにこうした質問を投げかけてくれるのが船長です。

安全確保も船長の役目

船の旅では、船長が安全な航海ができるように目を光らせていてくれます。船長は、安全な旅ができるように、航行のスピードや方角をコントロールします。また非常時に、乗客全員が救命具をきちんと装着しているかどうかを確認するのも、船長の役割です。

同様に、あなたのなかの船長も、あなたの〝安全〟を確保する役割を果たしています。状況を判断して、あなたが傷つく危険から守ってくれるのです。または、あなたの行動が、あなた自身の評判や人間関係、職務を傷つけそうな場面でも、こうした危険を避けるように指導してくれます。

船長の監視がないまま、あなたが発言するとどうなるでしょうか。例を挙げてみましょう。

「辞めてやる!」

「もう終わりだな」

「あなたは何もしていないじゃない。働いているのは私ばかり」

「そんな程度だから、出世できないんだよ」

「前にもそう言ったじゃない!」

「クビだ」

自分の気持ちを表現することは大切です。しかし、船の旅と同様に〝救命具〟を装着することを忘れないでほしいのです。短絡的な発言は、トラブルの元凶となります。とくに、以下のような場面では、不用意な発言が命取りになりかねません。船長の指導に従うことを忘れないでください。

大切な人間関係がかかわっているとき

大切な人に向かって、不用意な発言は避けたいものです。いったん口にしてしまったことは、取り消せません。

職場の〝政治〟がかかわっているとき

自分より地位の高い人物に対して発言するときは、注意が必要です。間違ったことを言ってしまうのも問題ですが、正しいことを言う場合でも言い方を間違えるとトラブルになります。社内での評判が下がるだけでなく、仕事を失ってしまう可能性もあります。

実際に危険が及ぶ可能性があるとき

あなたの安全や健康が危険にさらされるような言動は慎むべきです。人間には、自分の発言によって、肉体的、もしくは精神的な危険が及ぶことがあるのです。金銭的なトラブルに見舞われることもあります。こうした状況では、絶対に不用意な発言は避けましょう。きちんと準備

図17

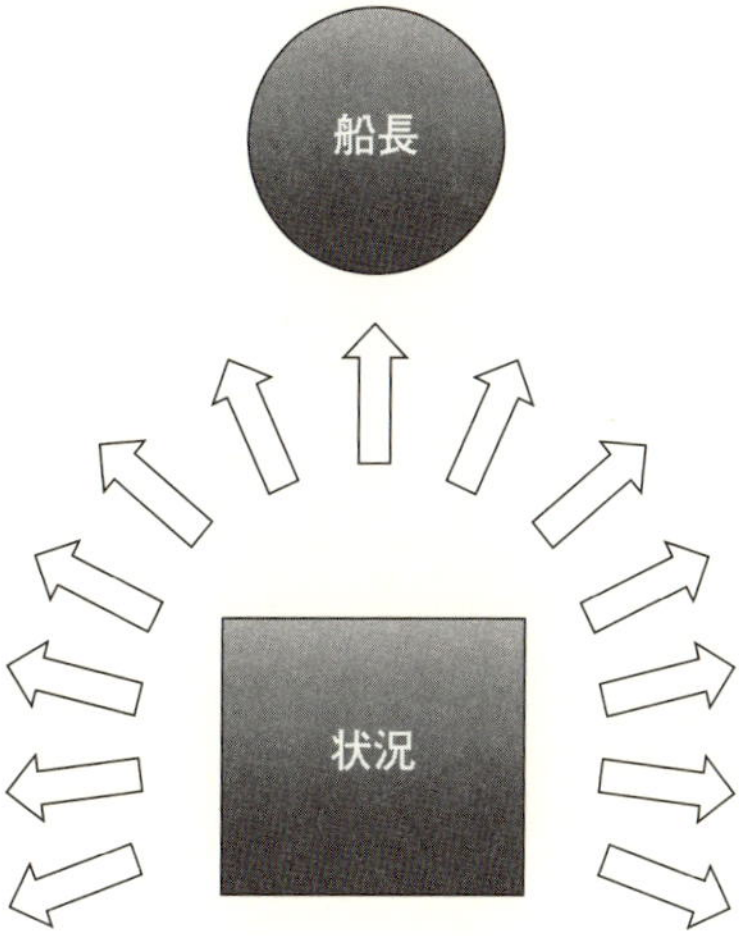

をしてから、発言すべきです。弁護士などのプロの指導が必要な場合もあります。

注意力とは

注意力を発揮すると、あなたはまわりで起きているあらゆる事象について情報を得ることができるようになります。警察やテロ対策機関では、こうした能力を「状況認識」と呼んでいます。この分野の専門家、ミカ・エンズリーによると、状況認識には3つの過程があります。①まわりで何が起きているかを認識する、②認識内容から必要な情報を抜き出す、③次にどんな対応が必要かを判断する——です。

つまり、状況認識とは、現状を認識するだけでは不十分なのです。犯罪者を追っている際、次の行動を見越して一歩先に動かないと、その犯罪者を逮捕することはできません。事態が現在進行形で動いているなかで、未来を予測して次の一手を打つのが、状況認識力です。卓越した状況認識能力を発揮したのが、先に紹介したサレンバーガー機長の例です。彼が操縦していたのは、両エンジンが機能不全に陥った飛行中の航空機です。刻々と事態が変わるなかで、彼は卓越した状況認識力を発揮して、乗客乗員の命を救いました。

船長が「道徳心」「見識」「性格」を司る

船長は、「自分のため」という利己主義を超えた行動を起こすことができます。社会を見回して、助けを最も必要としている人や場所のために自分の能力を生かそうとするのです。たとえば、バングラデシュで「マイクロクレジット」と呼ばれる貧困層向け融資の仕組みを構築した経済学者、ムハマド・ユヌスのなかに偉大な船長の姿を見ることができます。彼は、グラミン銀行を通じて、通常の銀行がお金を貸さないような最貧困層の人たちにも融資を受ける機会を与えました。グラミン銀行の成功例は、ほかの多くの貧困国でも導入され、その功績からユヌスは2006年にノーベル平和賞を受賞しました。

こうした〝無私〟の行動は、政治家やノーベル平和賞受賞者のものだけではありません。極限の状況下では、一般の人でも英雄的な行動を起こすことがよくあります。

２０１１年、日本で東日本大震災が起き、地震と津波の影響で福島第一原発は機能不全に陥りました。チェルノブイリ以来最悪の原発事故という危機下で、20代の若手の原発作業員が現場に残り、復旧作業に従事することを志願したというのです。

米国の科学誌『サイエンティフィック・アメリカン』の記事によると、彼は現場に残ることで健康が損なわれ、自分の未来や人生が変わってしまう危険性を認識していたといいます。給料もさほど高いわけではなく、現場に残っても特別手当がつく保証もありません。それでも、彼はこのように決意したと、匿名を条件に語ったというのです。

「この仕事ができる人は、数人しかいない。そのなかでも、とくに僕は若くて、まだ独身だ。この仕事を引き受けるのは、僕の義務だと思う」

もし私たちがビッグ４の意見だけを聞いていたら、世の中はどうなってしまうのでしょうか。

昨日、私はニューメキシコ州からロサンゼルス行きの飛行機に乗りました。空港の金属探知機の前には長蛇の列ができていました。みんながカバンからパソコンを取り出したり、靴を脱いだりするように命じられていたからです。

私の前に並んでいた人は、体の不自由な男性でした。障害のために、どうしても動きがゆっくりです。すると、突然、私の後ろに列んでいた夫妻が私とその男性を追い抜いていったのです。そして、プラスチックのトレーに物を投げつけるように入れて、大きな音を立てました。障害のある男性に対して、不満を当てつけるような行為をとったのです。

皮肉なことに、その後、ゲートにたどり着くと、その夫妻もその男性も同じ飛行機に搭乗する乗客だったのです。そして、私も同じ便に乗りました。つまり、私たち全員がロサンゼルスに到着した時間は同じだったということです。夫妻は、金属探知機の前で3分ほど時間を節約したかもしれません。でも、それで何を得たというのでしょうか。忙しい日常生活のなかで、人々は短絡的な行動に出てしまいがちです。そのようなときこそ、まわりを見回す余裕のある「船長」の出番です。船長の見識を取り入れることで、あなたは社会的に恥ずかしくない、長期的に意義のある行動をとれるようになります。

私が担当する「ハーバード・リーダーシップ養成講座」のなかで、参加者に「偉大なリーダーの代表例は誰ですか?」と聞くと、真っ先にネルソン・マンデラの名前が挙がります。理由は、この章の冒頭で紹介した船長の3要素――「スキルがあり」「注意力を発揮し」「平常心を保って行動する」――をあわせ持った人物だからです。マンデラは南アフリカ政府によって、27年間、獄中での生活を余儀なくされていました。にもかかわらず、釈放当日、人々に対して融合と寛大さを求めるスピーチを行ったのです。彼は、「新しい南アフリカを形成するために、白人の同胞たちにも我々の活動に参加してほしい」と訴えました。4年後の1994年、マンデラは大統領に就任します。南アフリカがはじめての本格的な民主選挙で選んだ大統領になったのです。

マンデラのなかの船長は、自分のなかのビッグ4全員を指揮者のように上手に使いこなしました。夢想家が「新しい南アフリカ」を構想し、思考家がその構想を実現する方法を考え出し、恋人が国民の痛みを実感し、闘士が構想の実現のために戦ったのです。

マンデラを偉大なリーダーに選んだ理由を聞くと、みんながそろって「人格」と答えます。表現は「人間性」「尊厳」「哲学」などさまざまですが、人々はマンデラという人間自体に感銘を受けているのです。マンデラを偉大なリーダーにしているのは、簡単に会得《えとく》できるような上っ面のスキルではありません。「自分のため」という利己主義を超えて、より大きな目的とつながろうとする意志であり、よりよい社会作りのために人生を捧げた情熱です。

マンデラは他人のために尽力した人物でした。船長とは、そういう存在なのです。

11章

探索する「旅人」とともに成長しよう

1975年11月、ウィリアム・ヘンリー・ゲイツは自分のコンピューター企業を始めるために、ハーバード大学を休学することにしました。のちに、ビル・ゲイツとして広く知られるようになる人物です。この決断を通じて、彼は「大学教育からの脱落者」となっただけでなく、社会のなかでちょっとしたはみ出し者的な存在となりました。しかし、その後の活躍は皆さんもご存じの通りです。彼は私たちの目の前で、人間としても、リーダーとしても成長していきました。

ゲイツは当初、〝テクノロジー界の異才〟として活躍します。ソフト開発で才能を発揮し、ほかの誰もが解決できなかった技術的な問題を解決してみせたのです。このゲイツの活躍が、「個人向けのコンピューター＝パソコン」の普及に大いに役立ちました。自分のなかの思考家と夢想家に導かれて、ゲイツはマイクロソフトという企業を起こし、社会にパソコン革命を起こしたのです。

その後、マイクロソフトが企業として成長すると、ゲイツもともに進化していきます。「厳しいリーダー」「タフなビジネスマン」として知られるようになったのです。たとえば、マイクロソフトが独禁法に抵触すると裁判になった際には、ゲイツのなかの闘士が前面に登場して、徹底抗戦しました。

思考家と夢想家に、闘士の大胆さが加わったことで、ゲイツの成功は金銭面でも実証されることになります。彼の個人資産は一時、1010億ドルに及んだと言われています。

普通の成功談ならここで完結ですが、ゲイツの場合は違います。企業人としての成功が、もう一つの扉を開いたのです。ゲイツは、自分のなかの旅人の「学び続けよ」「成長を続けよ」というささやきに耳を傾けました。人生の目的や自分の能力が生かせる場所を考慮して、新たな挑戦に取り組むことにしたのです。

2010年、米国の『フォーブス』誌の億万長者リストで、ゲイツは2位となりました。過去15年間で14度獲得した首位の座を逃したのです。理由は、慈善活動を目的とした「ビル・アンド・メリンダ・ゲイツ財団」に個人資産290億ドルを寄付したからです。ゲイツは、自分のビッグ4の4人目、恋人に導かれて、能力を人道目的で発揮するようになりました。慈善活動家として、人生の新しい章を開いたのです。そして、現在は、世界中の人々の健康や教育の向上のために設立されたゲイツ財団の運営に情熱を注いでいます。

ウィリアム・ヘンリー・ゲイツとは何者なのでしょうか。大学中退者？　テクノロジー業界のリーダー？　タフなビジネスマン？　慈善活動家？　人道支援家？

　1つだけは選べません。すべてが「彼」なのです。彼の人生は変わりつづけ、新しい章はまだ始まったばかりです。世間はまだ彼のことを「マイクロソフトのビル・ゲイツ」と思っているかもしれません。でも、彼の人生は進化を続けています。慈善活動をいっしょに行ったことのあるロックバンド「U2」のボノは、ゲイツの人生をこう評しています。

「彼は社会を2度変えた。そして、2度目の功績で後世に名を残すことになるかもしれない」

旅人とは

　旅人は、人生を〝旅〟としてとらえています。人生を通じて探索を続け、新しいことを学びつづけます。旅人は探求を続ければ新たな見識を身につけられることを知っています。だから、新しい経験を求めつづけるのです。

　繰り返しになりますが、私にとってオランダへの移住は簡単な体験ではありませんでした。家族や親しい友人がそばにいない環境で、落ち込むこともよくありました。ちょうどそのようなときに、姉のヘザーからカードが届いたのです。そのカードにはこう書いてありました。

　最後には必ず「大丈夫」と思えるはずです。

もし今、「大丈夫」と思えていないとしたら、それはまだあなたが最後に到達していないということです。

心にしみる言葉だったので、私はこのカードを仕事机の脇の窓ガラスに貼っておくことにしました。まさに、人生の旅とは、こういうことなのです。いったん道を見失ったと感じても、それで終わりではありません。いつか必ず、順調に人生の歩みを進めている感覚を取り戻すことができます。つまずいたと思っても、また立ち上がって再び歩き出すことができるのです。人間が成功からも失敗からも学ぶことができるのは、自分のなかの旅人の存在のおかげなのです。なぜ、あなたは自分のなかに旅人の存在を持つ必要があるのでしょうか。

第一に、人生では予期しない事態がよく起こります。そうした人生の変化球を受け止める際に、旅人は重要な役割を果たしてくれます。

私の知り合いに、裁判に敗訴した後、自殺願望を持つようになってしまった弁護士がいます。クライアントに対する罪の意識から逃れられなくなってしまったのです。彼の場合、自分のなかの旅人に先導されて、「自分を許す」という旅に出る必要があります。

第二に、旅人は私たちが新しい環境に適応する際にも大活躍してくれます。たとえば、多くの人が職場で、平社員から始まり、部下を持つ立場へと出世していきます。立場が変われば、求められる能力やスキルも変わります。こうした環境の変化への対応は簡単ではありません。

ブレットの例を見ていきましょう。税理士の彼は、その税務処理の能力が高く評価されて、管理職への出世が決まりました。ブレットは今まで、自分のなかの思考家と闘士をフル稼働させて、出世の階段を上ってきましたが、管理職になった途端に別の能力を求められるようになっています。自分のなかの恋人を呼び起こし、部下の心を掌握する必要が出てきたのです。今まで活用していなかったビッグ4のメンバーを、うまく利用できるようになるには少し時間がかかるでしょう。こうした過程も、人生という名の旅の大切な一場面です。

ブレットの経験は、多くの人が体験するものです。職場では、まず「プロジェクトマネジャー」になり、次に「チームリーダー」に任命され、最後に「経営陣」に加わるという過程が用意されています。プロジェクトマネジャーで必要とされるビッグ4は主に思考家と闘士ですが、チームリーダーになると恋人の能力を生かすことが不可欠になります。また、経営陣になると、今度は夢想家が必要になるのです。こうした進化の過程を進むあなたの背中を押すのが、旅人の2番目の役割です。

第三に、旅人はあなたが恐怖心を克服する際にも有効です。新しいスキルを会得するのと同様、恐怖心の克服も時間のかかる作業です。ときには、克服できないと感じることもあるかもしれません。しかし、最近の研究では、どんなに深刻な心の傷でも、克服できない恐怖心はないという事実がわかってきています。

ダニエラは、訪問看護師をしています。訪問先で犬に襲われたことがあり、それから、犬のいる患者宅には訪問できなくなってしまいました。上司もダニエラの状況を理解し、犬のいる家庭はダニエラの訪問先からはずすなどの対応をとってくれました。しかし、じきにダニエラ自身が犬のいるいないが自分の職務を制限する状況に不満を持つようになったのです。そして、犬に対する恐怖心を克服しようと決心しました。

ダニエラは現在、訪問先に犬がいる場合には、別の部屋に隔離しておいてもらったり、檻《おり》のなかに入れておいてもらったりして、徐々に犬のいる家庭の訪問に慣れていこうとしています。大型犬のいる家庭を訪問するときは、いまだにとてもドキドキするそうです。それでも、なんとか訪問を続けています。ダニエラは、「まだ旅の途中という感じ。でも、恐怖心が自分の職務を邪魔していると感じなくなっただけでも満足」と感じています。

外面の旅、内面の旅

人生の旅には2つの面があります。外から見える変化と内面の変化です。外面と内面の両方の変化が伴って、人生という旅ははじめて動き出します。一見、まったく反対に見えるこの2つの面をつなげるコアを持つことが重要となります。

現代社会では、人々は外面の変化で人生を評価しがちです。とくに、欧米社会は、人間の内面をおろそかにする傾向が強いようです。〝外〟の社会で起きている出来事に忙しすぎるというわけです。一方で、内面に注意を払っている人は、今度は内面にしか関心がない傾向があるようです。内面だけが真実の姿で、外面《そとづら》は意味がないというのです。私にとっては、どちらの考え方も不完全です。「内面から勝つ方法」は、内と外の両方がそろってはじめて「真のあなたの姿」になるという考え方にもとづいています。ビッグ4と3人のトランスフォーマーのどちらが大切かを決めることなどできません。7人で一組なのです。7人そろってはじめて、あなたは外界を正しく判断し、内面的に成長することができるのです。

旅自体が旅の目的だ——。このようなことわざを聞いたことがある人は多いと思います。人間は生きているかぎり、変化しつづけるという教えです。

その変化は内と外の両面で起きていますが、現代社会では外の面にばかり目が行きがちです。外からわかりやすいかたちで人生の節目を設定し、成功か失敗かを判断するのです。言い方を換えると、ゴールを設定し、そのゴールに到達したときに「目的地に着いた」と考えるやり方です。「いつか家を買おうと思っていて、とうとう購入した」「ずっと社長の椅子を狙っていて、やっとその座についた」といった場合に、達成したと判断するのがいい例です。

セミナーのなかで、よく例に挙がる人生の節目をここで列挙してみましょう。

- 就職、失業、昇進、退職
- キャリアの選択、就学、転職
- はじめてのひとり暮らし、実家に戻る、再度独立
- アルコール依存症、禁酒、回復
- 健康、発病、治療
- 独身時代、恋人時代、家族の誕生、別居、新しい出会い、再婚
- 新プロジェクトの立ち上げ、遂行、完了、次のプロジェクトの立ち上げ
- 幸せな結婚生活、不倫の開始
- 貧乏生活、財を成す、財を失う、再び財を成す

こうした経験を節目ととらえることで、私たちは人生の変化をつかみ、人生が順調に進んでいるのかどうかを簡単に判断することができます。しかし、この方法では、「旅自体が旅の目的」にはなっていません。ゴールに到達することが、目的になってしまっています。人生の節目は、物事が前進しているのか後退しているのか、自分が成功しているのか失敗しているのかを見極めるのに、便利な材料の1つではあります。ただ、こうした外からわかる変化で全体像をつかむことはできません。

外で変化が起きているときには、並行してあなたの内面にも変化が起きています。「真実の探

求は、まず内面から始める」という教えは、世界中に古くから存在します。たとえば、ギリシャ・デルフィのアポロン神殿には「己を知れ」という格言が彫られています。また、新約聖書のルカによる福音書には「医者よ、自分自身を治せ」というイエスの言葉が記されています。

私が推奨する「内面から勝つ方法」では、あなたの内面を重要視しています。なぜなら、内面が変われば、外面もおのずと変わってくるからです。内面が変わらないまま、小手先のテクニックをいくら身につけても、あなたの行動パターンはあまり変わりません。パフォーマンス・ギャップを避けるという目的に対して、思い通りの結果は得られないのです。

ここで、私がコンサルタントを担当した企業のケースを紹介します。「外側から変えようとしても中身は変わらない」ということを示す好例だからです。ちなみに、ビジネスの世界では、内面を「マインドセット（心的態度、考え方）」、外面を「行動」と呼びます。

その企業は現在、企業風土の変革に取り組んでいます。縦割り体質を脱却して、オープンな社風に生まれ変わりたいというのです。特別対策室を立ち上げ、社内に新しい目標を掲げることを決めました。その目標には「社員全員がオープンになりなさい」「社員全員が協力するように」と書かれていました。私に言わせれば、「オープンになりなさい」と命令するような会社が、オープンな社風のわけがありません。

「オープンになる」「協力する」といった行動は強制できるものではありません。外側からだけ押しつけても、中身は変わらないのです。マインドセットを変えるのが先です。マインドセット

図18　メビウスの帯

が変われば、行動は自然についていきます。

こうした失敗談は、この会社にかぎったことではありません。企業だけではなく、政府機関でも、非営利団体でも、学校でも、病院でも、地元の自治会でも頻繁に起こっていることです。土壌の質の悪いところに何回種を蒔《ま》いても、結果は同じです。次回は、新しい土に入れ替えてから種を蒔いてみましょう。

内面の旅と外面の旅は、どちらのほうがより重要か優劣をつけられるものではありません。〝真のあなた〟の成長に、より役立つのはどちらだと選択できるものでもありません。「内面から勝つ方法」で、あなたがほんとうに変われるのは、この手法が内面の旅と外面の旅の両方を組み合わせたものだからです。

内面と外面を統合して成長する象徴として、「メビウスの帯」を思い浮かべてみてください。メビウスの帯では、外側が途切れることなく、そのまま内側になってしまいます。内側が外側になり、外側が内側になるという動きが繰り返されるのです。一連の動きに、始まりも終わりもありません。吸って吐く、吸って吐く――人間の呼吸のように、一定のペースで繰り返されるのです。

人生はメビウスの帯のようなものです。内面と外面の2面があっても、元は1枚の紙でしかありません。人生はたくさんの旅から成り立っていますが、旅人は1人です。そして、それぞれの旅には内面と外面の2面が存在するのです。

自分のなかのコアとつながる

最近、ビジネス書で「ピボット」という言葉をよく見かけるようになりました。ピボットはもともと「回転軸」という意味の英単語ですが、最近では企業経営における「事業転換」や「路線変更」を表すビジネス用語として頻繁に使われるようになっています。最近のビジネス業界を見回すと、物事を劇的に変化させる「魔法の転換点＝ピボット」を求めて、人々が躍起になっている印象さえ受けます。

私は企業からリーダーシップ養成教育のためのカリキュラムを作ってほしいという依頼をよく受けますが、こうした場合に企業が要求してくるのは以下の2点です。①教育カリキュラムがもたらす変化が長続きするように、②参加者が転換点に達して、もう一段上の活躍を見せるようになるように――ということです。

こうした要求を受けると、私は企業側にこうお願いすることにしています。「従業員に自分のなかのコアとつながる訓練を奨励してください。そして、そのコアとつながる行為を支援してください」と。会社という組織に、長期的な変化をもたらしたかったら、従業員に内面の旅を奨励することが、最も効果的な方法だからです。

なぜでしょうか。

従業員ひとりひとりが自分のなかのトランスフォーマーをうまく活用するようになれば、おのずと「魔法の転換点」に到達するようになります。「見張り」「船長」「旅人」のトランスフォーマーは、人間の内面のコアに存在します。そして、見張りと船長はあなたを最善の選択に導き、旅人は人間としてのあなたの成長を後押ししてくれます。この3人の声にいつも耳を傾けるようにすることが、ピボットを実現する最も確実な方法なのです。

「コアとつながる」とは、自分の内面と向き合う行為のことです。内面と向き合うことで、人間は平静さを保ったり、自分にとってほんとうに大事なことは何かを再確認したりすることができます。太古の昔から、人類は「コアとつながる」ために、さまざまな方法を模索しつづけてきました。人間にとって、それだけコアとつながることが大切だということです。

職種や肩書に関係なく、誰もがコアとつながる方法を身につけるべきです。ただ、その方法は1日で、簡単に身につくものではありません。コアとつながるようになるためには、繰り返しの訓練が必要となります。

人類にとって、「コアとつながる」という行為は目新しいものではありませんが、21世紀に入り、再度、注目を集めるようになりました。世界の変化のスピードが増し、目まぐるしく物事が入れ替わるなかで、人間が外界に安定を求めるのが難しくなっているからです。会計事務所アーサー・アンダーセン、投資銀行のベア・スターンズやリーマン・ブラザーズなど、大手企業として君臨していた企業ですら消滅してしまう時代です。外の世界に安定を求めるのは、危険すぎると思いませんか。

人間の内面にある安定は、企業のように破綻したり、失業でなくなったりしません。コアが安定していれば、外界の変化で自分を見失ったり、傷ついたりすることを避けることができます。年をとろうが、体重が増えようが、髪が薄くなろうが、内面は変わりません。浮気性の夫のように、あなたを捨てて、若い女性に乗り換えたりはしないのです。内面は、いつでもあなたのなかにいてくれます。その内面の存在を、あなたにつねに思い出させるのは、あなた自身の仕事です。

最近、コアとつながる方法として、瞑想《めいそう》が見直されています。「瞑想をしている」と語るCEOも増えています。代表格がヘッジファンド、ブリッジウォーター・アソシエイツの創業者で、〝世界一の投資マネジャー〟の異名を持つレイ・ダリオCEOです。米国のオンラインニュースサイト『ビジネス・インサイダー』のインタビューで、ダリオは「朝20分、夕方20分の瞑想が、頭脳に明晰さと創造力を与えてくれる」と語っています。

アップルの創業者、故スティーブ・ジョブズが禅流の瞑想を行っていたことは有名です。最近では、ネット検索最大手グーグルやバイオ企業ジェネンテック、米国軍までが、職員のトレーニングの一環として瞑想を取り入れています。会議室の1つを瞑想用の「静寂ルーム」に指定する会社もあるそうです。

最新の技術を通じて、瞑想の効果は科学的に証明されています。長年瞑想を行っている人の脳では、辺縁系の活動が減少していることがわかったのです。つまり、人間は瞑想を繰り返すことで、感情の揺れを抑えることができるということが科学的に証明されたわけです。この研究の分析対象者には、人生の大半を瞑想に捧げてきたチベットの僧侶たちも含まれていました。脳科学は新しい分野ですが、その最新の技術が、人類が長年受け継いできた英知の正しさを証明したわけです。

コアとつながる方法は、人によってまちまちです。瞑想である必要はありません。他人が最適な方法を教えることはできません。「自分を見失った」と思ったときに、サッとバランスを取り戻す方法を、いろいろと自分自身で模索してみてください。

マントラをつぶやく。教会で懺悔《ざんげ》する。ロザリオの祈りを唱える。茶道を究める。祈禱する。写経をする。自然のなかを歩く。イスラム教の修行僧のようにグルグルと回ってみる。武道に勤《いそ》しむ。キャンドルを灯す。

アイデアを挙げればきりがありません。

また、現代社会では、もう少し簡略な方法で、コアとつながったと感じる人も多いかもしれません。たとえば、「ジョギングをする」「ヨガをする」「日記を書く」「庭の手入れをする」などの行為で、バランスを取り戻す感覚を得られることもあります。

あなたが人間として、もしくはリーダーとして成長したいと思っているとしたら、コアとつながるという行為は「たまにする」というような気軽なものでは不十分です。必要なときに、いつでもつながっていられるようにしなくてはいけません。習慣にしなくてはいけないのです。

人生では、不愉快な質問を受けることもあります。大衆の前で、侮辱を受けることもあります。こうした場面に不意に直面したとしても、バランスを崩さずにコアとつながっていられるようになるのが目標です。簡単なことではありませんが、時間をかけて訓練すればできるようになります。

おわりに

芋虫の一生には必ず、次に何が起きるのかを知らされないまま、今までの自分をすべて投げ捨てる時期が訪れます。次のステージに進むために、変身のためだけに準備された珍しい部屋に引きこもるのです。さなぎといわれている過程です。

さなぎのなかで、芋虫の体の構造は根本から崩れ去ります。次の段階に向けてかたちを変えるのです。芋虫のころから継承される部分はほんの少しだけで、大半が捨て去られてしまいます。そして、準備が整うと、引きこもっていた部屋のドアを開いて、再度世界に飛び出していきます。蝶として、人生の新しい段階に入るのです。

我々は今、個人としても、社会としても、さなぎの状態にあるようです。過去の構造が壊れはじめているのを感じています。今までの知識が通じない、新たな領域に踏み込んでいる感覚があります。新しい構造がかたちを見せはじめていますが、まだ完成してはいません。個人としても、社会としても、次の段階に入る心の準備はできています。しかし、まだ構造的な変化がそこまで追いついていません。蝶として外に飛び出す段階には至っていないのです。

さなぎの状態から脱皮するには、どうしたらいいのでしょうか。

精神医学者カール・ユングの有名な言葉に、「黄金は暗闇にある」があります。わかりやすく説明すると、「暗闇に好んで入る人はいない。その代わり、もし暗闇に入れれば、大切なものを見つけることができる」という意味です。

今までの常識が通じず、目まぐるしく物事が変化する現代社会は、「暗闇」のように感じられるかもしれません。しかし、ユングの言葉を信じれば、暗闇こそが黄金を探す最適な場所なのです。ちなみに、英語でさなぎは「chrysalis《クリサリス》」と言いますが、その語源はギリシャ語の「chrysós=黄金」です。

この本でいっしょに学んできた「内面から勝つ方法」にとって、〝黄金を探す〟とはどんな行為のことでしょうか。私は、「きちんと〝目覚めた〟状態で人生という旅を送る」ことだと思っています。自動運転に任せて、なんとか毎日をやり過ごすのも人生です。しかし、それではパフォーマンス・ギャップを繰り返してしまいます。自分のなかのコアともつながっていません。それでは、日々を夢遊病状態で過ごしているのとなんら変わりがありません。目は開いていても、きちんと目覚めていないのです。

では、〝目覚めている〟とは、どんな状態でしょうか。その答えは、この本のなかにはありません。世界中のどんな本にも答えは書かれていないと思います。自分で実践して、目覚める方法を会得するしかないのです。私はこの本がそのきっかけになればいいと思っています。

〝目覚め〟を模索するなかで、あなたは以下のような質問を自分に投げかけることになると思います。

・あなたは自分のなかのビッグ４のうち、誰の意見にいちばん耳を傾けていますか？　もしくは、無視しがちなのは誰ですか？
・今の自分の性格をどう表現しますか？
・どんなパフォーマンス・ギャップに陥りがちですか？　そうしたパフォーマンス・ギャップのせいで、どんなトラブルに陥っていますか？
・今日の目標はなんですか？　その目標を達成するために、どんなことを実践したらいいですか？

この本を通じて、私はあなたが〝目覚め〟に興味を持ち、〝目覚め〟を模索してみようと思ってくれることを望んでいます。〝目覚め〟は、日常生活のあらゆる場面で、また、あなたのリーダーとしての能力向上にも、役立ってくれるはずです。

「内面から勝つ方法」のポイント総復習

- ビッグ4はチームとして活動したときに最も能力を発揮する。4人全員から意見を聞いて、バランスをとろう。
- あなたのなかにはビッグ4以外の存在もある。トランスフォーマーの3人にも活躍してもらおう。
- 行動だけを変えようとしても、長期的な変化は望めない。
- 長期的な変化を望むなら、内面と外面の両面から働きかける必要がある。
- 「コアとつながる」手段を持とう。
- 「目覚める」とは、自分の内面の多面性を理解することである。

プロフィール

【著者】

エリカ・アリエル・フォックス　Erica Ariel Fox

ハーバード・ロースクールのProgram on Negotiation（PON）で交渉学を教える。プリンストン大学を経て、ハーバード・ロースクール修了。共同創設者でもあるコンサルタント会社Mobius Executive Leadershipでは、「フォーチュン500」にランキングされる世界的な大企業や権威ある公的機関をクライアントとしている。また、McKinsey Leadership Developmentのシニア・アドバイザーも務めている。オランダ人の夫との結婚後は、アメリカのボストンとオランダのアムステルダムに居を構える。

【訳者】

谷町真珠（たにまち・しんじゅ）

翻訳家、ジャーナリスト。

訳書に、『2030年 世界はこう変わる　アメリカ情報機関が分析した「17年後の未来」』『Steve Jobs Special　ジョブズと11人の証言』（ともに講談社）がある。

ハーバード実践講座《じっせんこうざ》
内面《ないめん》から勝《か》つ交渉術《こうしょうじゅつ》

2014年11月26日　第1刷発行

著者……………………エリカ・アリエル・フォックス
訳者……………………谷町真珠《たにまちしんじゅ》
装幀……………………重原 隆

発行者…………………鈴木 哲
発行所…………………株式会社講談社
東京都文京区音羽2丁目12－21［郵便番号］112－8001
電話［編集］03－5395－3808
［販売］03－5395－3622
［業務］03－5395－3615

印刷所…………………株式会社精興社
製本所…………………株式会社国宝社
本文データ制作………講談社デジタル製作部

ISBN978-4-06-219253-8 N.D.C.336.4 220p 20cm